JN120618

情報化社会が犯した昭和平成の過ち

我が半生に影響を与えた十五の誤り

茂出木 敏雄
Modegi Toshio

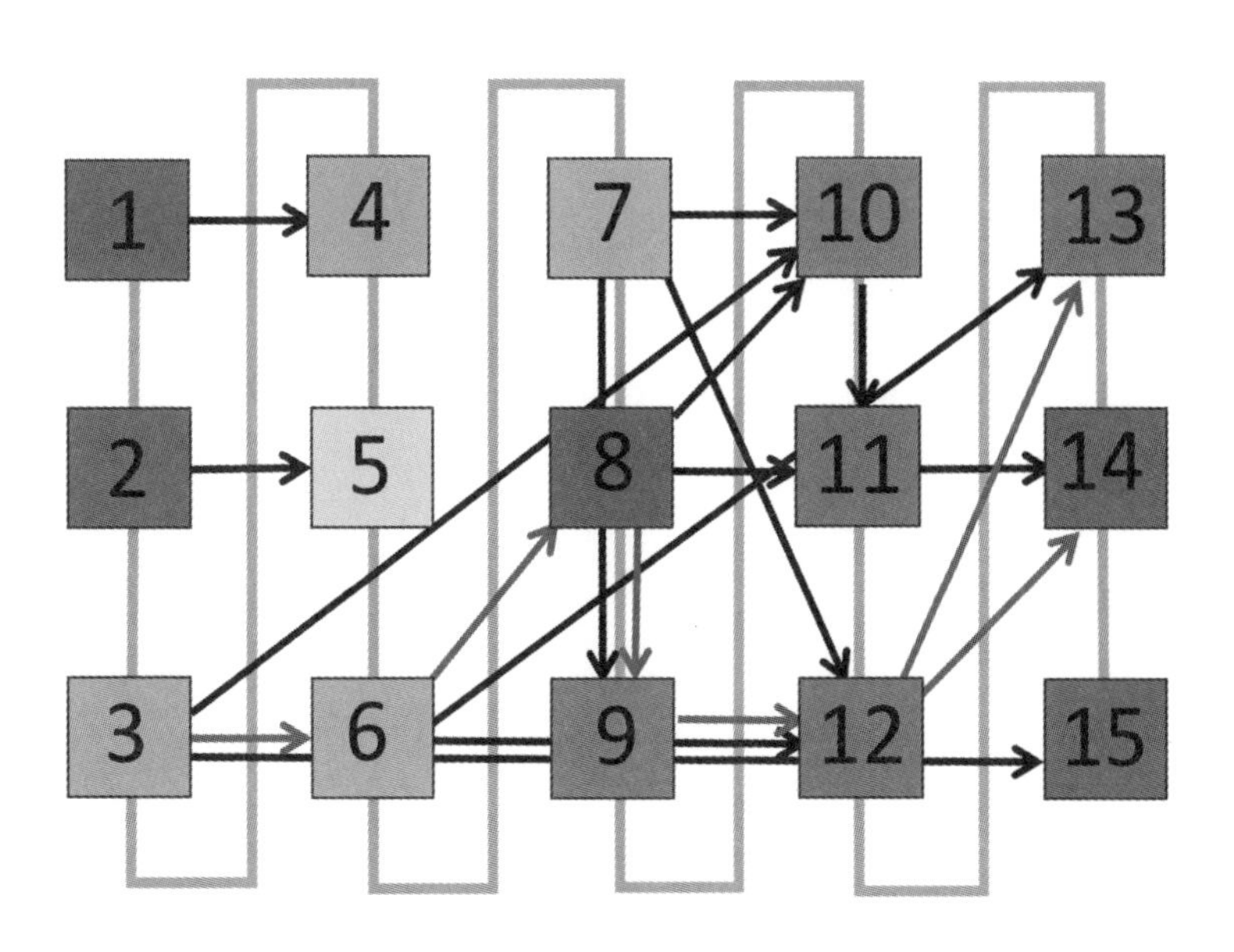

文芸社

はじめに

本書は令和三年六月に文芸社より出版した書籍『情報化社会の担い手　我が半生を彩った昭和・平成の道具たち』（以降、前書②と略記する）の続編にあたる。

前書②では、情報化社会の主役であるコンピュータの黄金期を彩った十二の道具という、いわば陽の側面にフォーカスしたものであった。前書②の反省として、十二件の道具同士の関連性、つまり、ある道具が他の道具にどのような影響を与えたかを議論できず、十二件の「点」での議論にとどまってしまった点がある。

例えば、前書②でも述べたが、二〇世紀の最大のＩＴ革命は「インターネット」であると思われる。誤解されている方も多いが、「インターネット」は前書②の最終章で述べた「パソコン通信」とは似て非なるもので、「パソコン通信」が発展して「インターネット」が生まれたわけではない。結果的に、「インターネット」という革命がどのような経緯で起こったかを議論できなかった。

そこで本書では、同年代における情報化社会が犯した数々の過ちという、負の側面にフォーカスすることにした。さらに、各々の過ちが別の過ちを引き起こしているという「線」での議論を行えるように整理した。

ここで、本書で述べる「過ち」と、いわゆる「失敗」との相違点を明確にしたい。後者の「失敗」は、目標とするゴールに到達できそうもなく、即座にアプローチに誤りがあることに気づきアプローチの訂正の必要性を自覚している点にある。

一方「過ち」は、それを犯した時点では不適切であるとは考えていない。ものによっては、今日の視点で振り返るまで、あるいは本書で取り上げるまで、不適切であると気づかないことがある。

はじめに過ちの例として、情報化社会ではなく、昭和の高度経済成長期に並行して築き上げられた自動車社会の話題を取り上げる。

私が誕生した一九五九年頃にはマイカーはあまり普及していなかったが、我が家は商店を営んでいたため、仕入れや配達のため自動車は欠かせない身近な存在であった。今でも昭和の街並みの典型として使用される、マツダの「オート三輪」を保有していた。

その後、自動車が普及するにつれ交通事故も増えてゆき、小学校に通学する際は、集団登校が義務付けられていた。さらに登下校の時間帯には、今日でも立っている光景を見かけるが、横断歩道に「緑のオバさん」と言われたボランティアの女性が、児童が安全に通行できるように旗振りを行っていた。現在もこのような交通整理は行われているが、「黄色のオジさん」の方が目立つようになった。

幹線道路など道路幅が広く横断歩道が長い場合は、青信号中に渡り切れないなどの危険性があるため、歩道橋が設けられた。歩道橋は、標識や監視カメラを設置するのにも使用できるため、昭和の時代には次々と増設された。

しかし、平成になってバリアフリーが重要視されるようになると、車いすで渡れない歩道橋が悪者扱いにされるようになった。一部導入が進められてはいるものの、既設の歩道橋にエレベータや車いす昇降台付きエスカレーターを設置することはコスト面で容易ではない。

むしろ、歩道橋を撤去して地上の歩道を拡充する方が早道である。二〇二一年に一年遅れで東京パラリンピックが開催されたが、この準備のために撤去された歩道橋が結構あった。

平成になって地球温暖化の原因となる二酸化炭素を出さない、脱炭素社会が叫ばれるようになると、自動車の排気ガスも問題視されるようになった。

脱ガソリン車、電気自動車への移行（ＥＶシフト）が求められるようになった。即ち、昭和のモータリゼーションは、環境破壊とバリアフリー化への障害という観点で、過ちであることに、半世紀後にようやく気づいたのである。

また、路面電車は二酸化炭素を出さないが、道路にレールと電線を敷設する必要があり、自動車通行の妨げになる。路面電車が通行していない間は、レールと電線がやたらと目立ち、街の景観も損なう。

このことから、路面電車も同様に過ちであることに気づき、次々と廃止されるようになった。併せて送電線や電話線などの空中架線の地中化も進められるようになった。もっとも、令和五年八月に新規に開業した、芳賀・宇都宮ＬＲＴという、次世代路面電車もあるが。

本書をまとめるにあたり、著者も一部関与した、情報化社会で犯した百を超える過ちをリストアップするところから始めた。そして、各々の過ちの中で、のちの時代に新たな過ちを産み出すきっかけになったものを選別した。

即ち、過ち同士の関連性を整理し、過ち同士でリンクを張った。その結果、他の過ちと関連性が全くなく、リンクが張られていない過ちは重要度が低いとして、リストから外した。

一方、私の業務に直接影響を与えた過ちは重要度が高いとして優先度を上げた。このようにして、リストアップした過ちに対して取捨選択や統合を行い、十五件の誤りに集約した。

これら十五件の過ちはいずれも、今日の視点で見ると、不適切な点や問題点があるが、驚いたことに、今日までに不適切であると気づき訂正された過ちは、全十五件中三件しかない。即ち、十二件の過ちは今日でもそのまま使われており、中には過ちであると認識されていない、今日では当たり前になったものもある。

各々の過ちに設定されているリンクを辿っていくと、十五件の過ちのうち、最も長い六件の過ちと連鎖関係を持つ過ちが浮上した。これらの過ちは、今世紀最大のＩＴ革命の一つであるブロックチェーン（暗号通貨や最近流行のＮＦＴ〔非代替性トークン〕の情報基盤で詳細は後述）にからむものである。

即ち、ブロックチェーンは革新的な技術であるとともに、それ自体に過ちを秘めている。このブロックチェーンが産まれて応用されるプロセスの前後に、六件の過ちの連鎖を発見することができた。この発見が本書を出版する第一の動機になった。

また、ブロックチェーンが仮想通貨のようなＦＴ（代替性トークン）だけでなく、令和になって希少価値の高いＮＦＴの取引にも活用されるようなった。特に電子書籍をＮＦＴ化することにより、現状の電子書籍の諸問題を解決できる可能性が見えてきたのが第二の動機になった。

本書は、これら十五件の過ちにつき、各々を引き起こした順に一件ずつ各章に割り当てて、十五の章立てとする。そして、比較的前の章の過ちにはのちの章の過ちに影響を与えたものが多いため、章同士でリンクを張るようにした。

以下、時系列な各章につき順に述べることとする。

［目　次］

できそうでできない規格統一

和を重んじる日本で商用電源の不統一

第1章

誕生前

和を重んじる日本で不統一
複数規格の競合：日本の電源周波数の不統一
［現状］　未解決
→多桁数値データ記録順序の不統一　［第４章］

日本のサラリーマンの和の行動

日本は和を重んじる国で、かつて、海外でメガネをかけていてカメラを持っていたら、日本人旅行客であると言われたことがある。また、コロナ禍になる前から外出時にマスクを着用する日本人が多いことに、海外から奇異な目で見られていた。

私自身もそうであったが、会社の入社式では、特に会社から指定があるわけではないのに、男女ともブラックの統一感のあるリクルートスーツに身を包んで臨む。

高等学校までは制服で過ごす学生がほとんどであり、大学生になると一旦は私服になるが（私の親の学生時代は、大学生も制服だったらしい）、就職すると、入社のセレモニー以降も統一された職服で過ごす社員も少なくない。

昼休みの光景がある意味滑稽である。社内に食堂がある場合は言うまでもないが、社外で食事をとる場合も、どこの会社もほとんど同じ時間に同僚と一緒に会社を出て周辺の飲食店に出かける。

「昼の十二時になると、同じ服を着た社員が集団で外に出てきて、御社はまるで毎日避難訓練を行っているようだ」と、会社を訪問された業者の方にかつて言われたこともあった。

コロナ禍において、リモートワークや密な行動を避けて孤食が求められるようになった。

それでも出社されている社員は、昼休みの時間に、同僚と一緒にマスク越しにしゃべりながら食事に出かける光景を相変わらず目にした。

ガラパゴスとガラケー

日本は「ガラパゴス」と海外から揶揄されることが多いが、「ガラパゴス」とは島国で他国から独立して独自の進化を遂げたという意味で、本来はそれほど悪い意味はない。ただ、日本国内では規格統一されているが、その規格が国内にとどまり海外には通用しないことが多いことが問題視されている。

「ガラパゴス」の典型例として、「ガラパゴス・ケータイ」と呼ばれるフィーチャー・フォンがある。これは通信規格とＯＳが国内独自で海外で使用できないためである。

特に日本人が発明した、２Ｇの携帯電話において世界で初めてインターネット接続を可能にした「ｉモード」がある（二〇二一年サービス終了）。

当時としては世界初の画期的な技術だった。しかし、「ｉモード」のＷｅｂサイトは「コンパクトＨＴＭＬ」と呼ばれる、Ｗ３Ｃ（World Wide Web Consortium）国際規格から外れた、独自言語で作成されていたのが残念だった。これでは、国外に普及させることは難しく、海外から、むしろ反発を受ける要因になった。

ただ、3Gのワイヤレス通信サービスが二〇二四年に終了するので、現在「ガラケー」のユーザはスマートフォンへの移行が求められている。「ガラケー」が使用できなくなる理由は、独自OSでは、4G以上の高速な通信をサポートするための拡張開発コストが膨大になるからである。

通話やメールだけであれば3Gでも十分なのだが、5Gが登場し、通信業界としては3Gのサービスが負担になっているため廃止にする意向である。即ち、二〇二六年度末で「ガラケー」は惜しまれつつなくなる予定である。

強大なガラパゴス：交通系ICカード

これに対してしばらくなくなることがない、もう一つの強大な「ガラパゴス」の典型例として、交通系ICカードがある。これは二〇〇一年にJR東日本でサービスを開始した「Suica」に端を発する。

その後、東日本エリアの地下鉄やバスで使用できる「PASMO」のサービスも開始されると、当初から「Suica」との相互運用が可能であった。その一方で、JR西日本でもサービスが開始された「ＩＣＯＣＡ」とも相互運用が可能になった。

このように地域ごとに開発された、交通系ＩＣカードの相互運用がスムーズに行えるようになったのは、全てのカードで、ソニーが独自開発した「ＦｅｌｉＣａ」と呼ばれる非接触ＩＣ技術が使用されているからである。

そのため、日本市場を頼りにしているＡｐｐｌｅ社は、ｉＰｈｏｎｅ７より「ＦｅｌｉＣａ」チップを搭載し、「モバイルＳｕｉｃａ」の機能をサポートしている。

この技術は、日本の「Ｓｕｉｃａ」より先に香港の「オクトパス」で採用されているため、一応国際規格になっている。それ以降、海外ではあまり使用されていないが。

商用電源の周波数の不統一

このように日本人には、たとえ海外では通用しなくても、国内だけは統一させようという和の心に満ちている。ところが、海外では国ごとに統一されているのに、日本国内で二種の規格が対立している分野が一つだけある。それは商用電源の周波数である。

ここで、商用電源の周波数について補足説明する。商用電源は交流電力で、電池のようにプラスとマイナスの極性が固定でなく、周期的に反転する。この極性が反転して元の極性に戻るサイクルが一秒間あたりに発生する回数が周波数である（単位はヘルツHz）。

周知のとおり、商用電源の周波数は、静岡県の富士川（正確にはフォッサマグナで知られる糸魚川静岡構造線）を境に東側が50Hz、西側が60Hzになっている。このような形態は世界的にも珍しく、二種類の電源周波数を使用している国は、日本以外ではバーレーン王国のみである。

この原因は、明治時代に行われた発電機の導入にあり、東京の電灯会社（現・東京電力）がドイツ製の発電機を、大阪の電灯会社（現・関西電力）が米国製の発電機を輸入したことに端を発する。

ここで、ドイツでは60Hzの発電機を、米国では50Hzの発電機を製造できなかったとは思えない。たまたま最初に導入した海外の発電機の仕様がそのような周波数になっていただけで、成り行きにまかせた結果であろう。

発電機導入後に、電源周波数を変更することは容易ではない。しかし、東西間で引っ越しでもしない限り、電源周波数の相違が問題になることがないので、今日までそのままにしておいたということであろうか。

電源周波数の不統一による問題

電源周波数が不統一であることによるメリットは基本的にないと思われるが、電源周波数が不統一であることにより生じた問題としては、東海道新幹線がある。ローカル線はほとんど直流モーターを使用しているので、電源周波数の影響を受けない。しかし、新幹線は交流モーターを使用している上、走行途中で周辺地域の電源周波数が切り替わる。そのため、東京駅など東京電力管内では関西電力に合わせて60 Hz（ただし電圧は２万５０００Ｖ）に変換してパンタグラフより供給している。

ちなみに、電源周波数を変更する場合は、一旦直流に整流し、直流電力をインバータという機器で交流に再変換する。このインバータでは任意の周波数の交流電力に変換できる。身近なところでは、自動車内のバッテリーや太陽光発電は直流電源なので、これらの環境で交流の電気機器を使用する場合は、インバータを使用する。

電源周波数が不統一であることにより生じた比較的最近の問題としては、二〇一一年の東日本大震災がある。東京電力の原発事故により東日本管内は電力不足に陥った。そのため、西日本の電力会社から電力供給を受けることが検討された。

しかし、周波数が異なる西日本から電力供給を直接受けられないという問題に遭遇した。

といって、電源周波数の変換システムを突貫工事で構築することは間に合わず、結果的に計画停電が行われた。

電源周波数の家電製品への影響

家電製品の中で、電源周波数の影響を受けるのは、交流モーターを使用している白物家電である。扇風機、掃除機、洗濯機、冷蔵庫、エアコンなどである。一方、テレビ、パソコンなどの情報家電製品は直流電源で稼働する電子機器で、直流電源に変換して使用しているため、電源周波数の影響を受けない。

特に、ACアダプターを使用している場合は、ACアダプターが交流を直流に変換する機能を持つ。中には、電源電圧が100Vを多少超えていても影響を受けず（ノートパソコンのACアダプターはほとんど、交流100Vから200V強までの範囲で使用可能）、海外でもそのまま使用できるタイプも多い。

白物家電でもシェーバーのように、充電式バッテリーで動くタイプは電源周波数の影響を受けない。情報家電と同様に、交流電源を直流に変換してバッテリーを充電し、直流モーターで動かしているためである。

白物家電でも、最近の掃除機はコードレスタイプがメジャーになり、扇風機もバッテリー搭載タイプが増えた。これらの駆動方式はシェーバーと同様であるため、電源周波数の影響を受けないタイプが増えている。

電源周波数は不統一のままで良いか

このように、電源周波数が不統一になっていることによるデメリットは、時代とともに薄らいでいる。そのため、今日まで統一させようという大きな契機はなく、今後もないかもしれない。

日本人による青色発光ダイオードの発明により、ＬＥＤ照明が実用化された。これは、低消費電力で長寿命という特徴がある。そのため、東日本大震災を機に国も助成しながら白熱電球からＬＥＤ電球への切り替えを推進している。

しかし、ＬＥＤ素子は低電圧の直流で点灯するため、各ＬＥＤ電球内にはＡＣアダプターのような機能を搭載させている。この機能がＬＥＤ電球の大半を占め、白熱電球より重量も増えている。

その上、この直流に変換するユニットで無視できない電源ロスも生じている。それでも、

ＬＥＤ電球は白熱電球より電力消費が顕著に少ない特徴は揺るがないが、直流電源でダイレクトにＬＥＤ電球を点灯させる方法をとればさらなる節電が期待できる。

最近では、オフィスビル、ホテル、カフェ、新幹線などにおいて、電源コンセントとして、商用電源の交流１００Ｖだけでなく、直流５ＶのＵＳＢコンセントが設置されている事例が増えている。

そうすると、ＡＣアダプターを持参しなくても多くの情報機器を使用することができるとともに、室内照明は直流５Ｖで直接点灯でき、かなりの節電が見込まれる。

電源周波数は不統一のままで支障ないかもしれないが、宅内配電では直流電源コンセントを増やすことが重要になるかもしれない。実は、一九世紀に、世界最初にロンドンとニューヨークで行われた送電は、トーマス・エジソンの提案により、直流で行われていた。その後、ニコラ・テスラなどにより、交流で送電するように改良され今日に至っている。しかし、今日の視点で見ると、エジソンの最初の提案は過ちではなかったともいえる。

昭和の規格は緩かった
コンセントから様々な電気が出る

第2章
1970年
（小学校5年）

規格外の電気設備：コンセントから出る電力は
　ＡＣ１００Ｖだけではない
［現状］解決済　＊電気設備技術基準（電技）で法令化
→コンセントでインターネット接続［第5章］

小学校の理科室でのモーター製作実習

私が通っていた小学校では、五年生以上の理科の授業は教科担任制で理科室にて専門の先生が教えていた。その理科の授業の中でモーターを自作する実習があった。

自作といっても、モーター製作キットが配られ、回転子と呼ばれるモーター内で回転する部品に、ニクロム線を巻いて電磁石を作成するだけであった。製作したモーターに付属のファンと乾電池ボックスを取り付ければ小型の扇風機が完成する。

このモーターは小型であるが前章で述べた直流モーターである。直流モーターは本体の側面に永久磁石が装着されていて、その中に電磁石でできている回転子を回転できる状態で取り付ける。

電磁石に電流を流して磁力を駆動させれば、永久磁石と電磁石との吸引力（一方がN極で他方がS極の場合）または反発力（双方ともN極またはS極の場合）により回転子が回転する。

直流モーターでは回転子の電磁石に直流電力を供給するためプラスとマイナスの金属片で構成されるブラシが必要である。回転子のコイルに巻いたニクロム線の両端は、回転子の軸に装着されている二つの電極に固定する。

この時、はんだ付けで電極に固定するのが望ましいが、小学生でもできるように、ニクロム線の末端をヤスリがけして被覆を剥がした上で、電極の穴に巻き付ける方法をとっていた。

直流モーターの給電構造

一方、モーター本体の軸受には、前述のブラシと呼ばれるバネ状の電極が二つ装着されており、回転子側の二つの電極を挟む構造になっている。この二つのバネ状電極に乾電池ボックスからの給電コードを接続し、プラスとマイナスの直流電力を供給する。

この二つのブラシと回転子側の電極は固定ではなく、回転子の回転に伴ってこすれながら可動する構造になっている。この給電の仕組みは、電車のパンタグラフと同様である。もっとも、電車の場合はレール側からもマイナスの給電ができるのでプラスの電極のみで給電する構造であるが。

回転子が半回転すると、ブラシに接触している回転子側の二つの電極が逆になり、電磁石に供給される直流電流の極性も逆になる。そのため、常に同一の方向に回転力が働くようになっている。ちなみに、ブラシに与える直流電圧（乾電池）の極性を逆にすれば、回転方向も逆になる。

このような構造のため、回転動作により電極の摩耗や接触不良が起こりやすい。この点が、直流モーターが交流モーターに対して耐久性の難点になっている。

ちなみに、交流モーターでは、回転子側が永久磁石で、本体の側面に電磁石を固定で装着する構造をとれるため、ブラシは不要である。また、ブラシレス直流モーターというのもあり、構造は交流モーターと同様である。直流電源で動作するように、モーター内で交流に変換して動かしている。

製作したモーターの試運転

モーターが完成した生徒は、乾電池ボックスを接続する前に、先生のところに持参し試運転を行った。試運転はモーター本体の二つのブラシにミノ虫クリップが付いている電源コードを取り付けて行われた。この電源コードの反対側は家庭でも見かけるＡＣプラグになっており、教卓の裏側にあるＡＣ１００Ｖコンセントに挿していた。

私が製作したモーターを先生のところで試運転したところ回転しなかった。そこで、先生がラジオペンチでブラシを挟み圧着させたところ、回転し始めた。前述の直流モーターの欠点である、モーター本体のブラシと回転子の電極との間で既に接触不良を起こしていたようだった。

自宅のコンセントでモーターの運転確認

完成したモーターを自宅に持ち帰り、先生の真似をして、モーター本体のブラシにACプラグの付いた電源コードをつないでコンセントに差し込んでみた。その結果、モーターが火花を発し、自宅の配電盤のヒューズが飛んでしまった。

当時の配電盤では、今日のようなブレーカではなく、定格を超える過電流が流れると、ヒューズが溶けるようになっていた。復旧させるにはヒューズを新品と交換する必要があった。

この自宅でのトラブルについて、後日先生に報告したら、笑われてしまった。このモーターは直流３Ｖで動作する仕様になっている。それに対し、家庭用のコンセントは交流１００Ｖであるため、ニクロム線が焼損してしまうとのことであった。

即ち、私は交直流と電圧という二つの間違いを犯していたが、勉強熱心であると先生から褒められ、新しいモーターの組み立てキットを頂戴した。

理科室のAC100Vコンセントは万能

この先生からの特別講義のお陰で、生まれて初めて直流と交流の違いを理解することができた。さらに、理科室のコンセントには商用電源が直接つながっておらず、直流安定化電源の出力がつながっているらしい。

そのため、理科室のコンセントから出力される電力は交流の100Vに限らず、直流電力に変換し、好みの電圧に調整できるようになっていることを教えていただいた。

ただ、コンセントにはAC100Vと刻印されていたので、今日の視点で振り返ると、理科の先生は規格違反を犯していたと思われ、現在ではこのような電源設備は許されないであろう。

ちなみに、コンセントは通常は交流なので極性はないが、感電防止のため一方がアース（0V）になっていることが多い。コンセントで平行に並んでいる二つの溝の長さは同じではなく、一方が若干長くなっている。

この長い方がアースで、長い方に触れても通常は感電しない（例外もあるので要注意）。従って、直流が出力されている場合は、長い方の溝はマイナスで短い方の溝はプラスになる。

隣接工場間での光通信実験

社会人になったばかりの一九八三年に、工場の機械の稼働状況をモニタリングするテーマが与えられた。対象の工場より、技術者が入居している、隣接する第二工場まで運転データを転送する必要があった。

建物間の通信は、いくら隣接しているとはいえ、電電公社（現・ＮＴＴ）に専用回線を敷設してもらう必要があるが、そこそこの通信コストがかかる。

通信距離は窓からお互いに見通せるレベルであったので、当時発売されたばかりで、無許可で設置可能な光通信技術を採用することになった。双方の建物の同じ階の窓際に、各々光モデム（デジタルデータを赤外線の点滅に変復調する装置）を設置した。パラボラアンテナと同様にお互いに光モデムの送受光窓の方向を微調整すれば、赤外線でデータ通信が行えるはずだった。

双方の光モデムは通常のＡＣ１００Ｖで動作するので、コンセントに差し込んで電源を入れた。そうすると、一方の光モデムが電源を入れた瞬間にパイロットランプが消え、そのまま故障してしまった。

工場のコンセントはAC200Vだった

光モデムの初期不良であると思われ、メーカーに持ち込み新品と交換してもらい、再度設置調整を試みた。結果は同じで、電源を入れた瞬間にパイロットランプが消え、再度故障してしまった。

メーカーに故障原因を確認したところ、電源トランスが焼けていたとのことで、設置場所の電源に異常電圧が出ている疑惑が浮上した。まさかとは思ったが、工場にテスターを持ち込み、光モデムの電源をとったコンセントの電圧を測定した。

その結果、目が点になった。AC100Vと刻印されているコンセントからAC200Vが出ていることが判明した。工場の設備担当者に確認したところ、このフロアは電灯を含めてAC200Vで統一していると平然とした顔で述べられた。

天井の蛍光灯照明は通常通りAC100V仕様で動作するが、2ユニット直列につないでAC200Vで点灯させているとのことであった。

AC200Vは一般家庭でもエアコンなどで使用されることがあるが、コンセントの形状が異なり、AC100V用のプラグでは普通は挿せないようになっている。

ちなみに現在、私の自宅のリビングで使用しているエアコンはAC100Vではあるが、

15Ａの仕様なので、同様にコンセントの形状が異なり、通常のプラグでは挿せない。

通常のプラグはＡＣ１００Ｖで15Ａ以下まで使用できるが、消費電力１５００Ｗの機器を接続する場合、一時的に15Ａを超える可能性があるため、コンセントとプラグの形状が異なるようである。具体的には、プラグの二つの電極が平行でなく、一方が直角に配置されている。

アースに電圧がのっているコンセント

前述の教訓から、工場内で電源をとる場合は、事前にテスターで電源電圧を確認するようにした。

技術スタッフのフロアのコンセントは全てＡＣ１００Ｖ・15Ａでアース付きの３Ｐ形状であった。

ある時、計測器の数値が異常であるという現象と、筐体に手を触れると感電するという現象が発覚した。ただし、テスターを当てた限りでは電源の異常は見当たらなかった。

そこで、電力設備を業者に点検してもらったところ、電源電圧には異常はなかった。しかし、アース線の配線が適切でなく、アース端子に１００Ｖの電圧がのっていることが判明した。そのため、電源系統の配線工事のやり直しが必要になった。

インターネット接続にも使用される

このように、AC100Vコンセントは昭和の時代には、現在では容認されない規格外の多彩な利用形態があった。電源をとるだけでなく、令和二年五月に文芸社より出版した書籍『我が半生　昭和・平成の習い事・通い事十色』（以降、前書①と略記する）の第6章でも述べたが、AMラジオのアンテナとして使用されることもあった。

無線LANの技術が進化した現在では、あまり使用されていないが、電源コンセントを用いてLAN接続やインターネット接続を行えるようにした電力線通信（PLC）という技術も開発された。

紛らわしい製品に、「コンセントに挿すだけでWi-Fi」というホームWi-Fiルーターが現在普及しており、私も使用している。これは、宅内の情報機器とは無線LANで接続し、4GのWiMAXや5Gを経由して無線でインターネットに接続できるようにしたものである。

いわば、屋外と屋内の異なるデジタル無線通信を中継する装置である。ただし、これはコンセントより電源をとっているだけで、電力線通信を行っているわけではない。

ユーザには便利だが

名簿は昭和のＳＮＳツール

第3章

1970年
（小学校５年）

個人情報・プライバシー軽視：安易な名簿の作成と配布
［現状］解決済　＊個人情報保護法で法令化
↓並列化、パイプラインによる高速化［第６章］
↓個人情報のＵＳＢを用いた持ち出し［第10章］
↓Ｗｅｂアクセス中の個人情報の保護［第15章］

昭和の時代は連絡ツールとして名簿が重要

学生時代から社会人になっても昭和の頃までは、関係者の間で連絡をとれるように種々の名簿が作成され配布された。幼稚園の頃からおそらく児童の名簿は作成されていたと思われるが、明確に覚えているのは小学校の高学年の頃からである。そのため、本章では小学五年生から作成・配布された名簿について述べることとする。

小中学校の時に作成された名簿には、クラス別に生徒の氏名と保護者の名前、住所と電話番号がリストアップされていた。そして、全学年・全クラスの在校生と教職員の名簿が製本され、全生徒に配布された。

名簿の体裁がきちんとしており、学内のガリ版印刷で作成できるレベルを超えていたので、そこそこのお金をかけて印刷業者に発注していたものと思われる。

配布された名簿は緊急の連絡網として利用される。例えば、運動会や遠足などのイベントの際、当日の朝に雨天のため中止の決定をする、あるいはインフルエンザにより、欠席する生徒が増えたため学級閉鎖にするなどである。中学・高校の頃は交通機関のストライキが結構多く、それに伴って臨時休校にするという連絡が多かった記憶がある。

連絡方法は、先生が名簿順に個別に電話をかける方法と、先生は名簿の先頭の生徒だけに電話をかけて、以降の生徒への連絡は伝言リレー形式で各人に委ねる方法がある。どちらを選択するかは、先生の意向次第である。

後者の方法では、電話を受けた生徒または家族に、名簿の次の生徒に電話をかけてもらう必要があるが、次に述べる事情により問題が生じる場合があった。

名簿の電話番号欄の「呼び出し」注記

小中学校の頃に配布された名簿で興味深いのは電話番号欄で、所々、「呼び出し」と注記されている生徒がいた。これは自宅に固定電話が設置されておらず、集合住宅の場合は管理人の電話番号が、戸建住宅の場合は近所の家の電話番号が記載されていた。

つまり、学校からの電話を受ける際は、隣家が受けて「呼び出し」てもらう必要があり、逆に電話をかける場合は隣家の電話を借りるか、公衆電話を使用する必要があった。

そのため、前述の担任の先生が伝言リレー形式で連絡を行う場合は、「呼び出し」電話の生徒に対しては、リレー網から外し個別に連絡をとるように配慮された先生もいた。

私の自宅はたまたま商店を営んでいて、固定電話が設置されていたので、幸いこのような不便はなかった。しかし、固定電話が設置されていない家は、日ごろからご近所付き合いを親密に行って、電話の取次ぎをお願いする必要があった。

当時、固定電話を設置するためには、事前に電話加入権を取得する必要があり、特に集合住宅では電話加入権を取得できるまで結構な年月の間待たされた。

充実していた高等学校の名簿

高等学校の頃は固定電話が行き渡っていたので、「呼び出し」の注記はほとんどなかったが、名簿に保護者の氏名とともに、ご丁寧に父親の職業まで記載されていた。

少なくとも緊急連絡に必要な情報ではないはずだが、進学校（東京都立白鷗高校）だったので、担任の先生が生徒の進路指導の参考にするためだったと推察される。しかし、現代の視点で振り返ると、この情報は先生だけに開示すれば良く、全生徒に公開するべき情報ではなかったように思われる。

小中高の各学校で配布された名簿には、顔写真は付いていないが、卒業する際に配布されるアルバムには、最終学年時の名簿とともに、同学年の生徒の集合写真がクラス別に掲載されていた。集合写真の下には、担任の先生を含む全生徒の名前が明記されたビジュアルな名簿になっていた。

大学時代の名簿

大学では電話で緊急連絡が行われることは稀で、連絡は基本的に学内の掲示板で行われるので、連絡網としての名簿は必要なかった。それでも、成績などの事務処理に名簿は必須なので、所属学科別に名簿が作成され、配布された。私が所属していた電子工学科には留学生が一名いて、初めて外国人の名前が含まれる国際的な名簿を受け取った。

掲載内容は高等学校の名簿に比べて極めてシンプルで、氏名・住所・電話番号に学籍番号が追加されたものであった。学籍番号は高校でもあったはずだが、大学では事務管理上、学籍番号が重要で配布する名簿にも記載されていた。

四年生になると卒業研究のため研究室に配属となり、配属された研究室ごとにＡ４サイズ一枚の名簿が作成されコピー配布された。この名簿は社会人になってリクルート活動の一環で母校を訪問する際は重要な情報となった。

社会人になったばかりの頃は、母校の後輩に自社の説明を行ってくるように会社から命じられた。菓子折り持参で、自分が所属していた研究室を含め、いくつかの研究室を訪問する。その際、研究室の名簿を持ち帰るのが何よりの会社への土産であった。

卒業後の同窓会名簿と勧誘電話の問題

大学の研究室の名簿については、卒業後も定期的に研究室のＯＢ会が開催されたので更新されていった。同窓生だけでなく、同じ研究室の先輩・後輩とも交流できるので、その都度、出席者名簿が作成・配布された。

さらに、高校と大学では同窓会組織が充実していたので、全ての年代の卒業生名簿が印刷・製本され有償で販売された。この名簿には卒業後の進路（大学名や就職先）が付記されており、自宅の連絡先だけでなく、ご丁寧に勤務先の連絡先まで明記されていた。

この名簿は卒業生でなくても購入できるので、名簿業者など企業にも渡ったようで、自宅や会社に勧誘の電話などが増えて社会問題になった。社会人になった頃は英会話教材の勧誘が多かったが、その後、新築マンションなど不動産投資や節税対策の勧誘が増えた。

社会人になってからの名簿作成

会社に就職して入社すると体育館に新入社員を全員集めて集合研修が二週間程度行われた。この時、十人程度ずつグループ分けがなされ各グループに班長が一名ずつ選出され、私もその一人であった。

　班長の役割は研修期間中の各種資料の配布など研修スタッフのお手伝いであった。グループメンバー全員が社会人成り立てなので、研修終了頃には親密になり、呑みに行ったりした。

　そして、研修の最終日には配属先が決まり、メンバー全員から自宅の連絡先と配属先のメモを提出してもらった。そして、私の方で名簿を作成し人数分のコピーをとって全員に郵送した。

　また、配属先の部署でも私を含め十名強の新入社員に対して導入研修が二週間程度行われた。ここでも、新入社員のメンバーの名簿を自主的に作成し配布した。

　その後、いくつかの部署を転々としたが、平成の中頃まで、部署によっては年末に年賀状配布用に、部署全員の自宅の連絡先が掲載されている名簿が作成・配布されたことがあった。

　ただ、この部署の名簿を活用して、新入社員が直属の上司にお中元を贈るというハプニングが起こった。これを機に社内で部署の名簿を作成して配布することが禁止になった。

　これは二〇〇三年に個人情報保護法が制定される前の出来事である。

若手の社会人を狙った個人情報収集

会社の連絡先は人事異動などで時々変更される可能性が高いので、名簿掲載情報は定期的に更新する必要がある。最新の連絡先情報を取得する場として、大量の名刺を収集できる展示会が利用される。

展示会への入場登録名簿を入手するのが最も効果的で、実際に流出する事件もあった。出展業者が行う典型的な名刺の収集方法としては、展示ブースにて、カタログ・新聞・雑誌・粗品、ドリンクなどを提供し、その引き換えとして、名刺を提出してもらう方法がとられる。

また、セミナー会場で昼食時にランチョンセミナーと呼ばれる弁当付きセミナーを開催し、名刺添付とともにアンケート記入に協力してもらう方法がとられる。

さらに、展示会場の周辺で、マンツーマンで来場者に接触し、個別に勧誘して名刺交換を求める方法も行われる。この名刺交換は、聞くところによると、種々の企業の新入社員研修の一環らしい。

このようにして、収集された名刺は某社のテレビＣＭでも宣伝されているように、社内で共有することが重要である。展示会に参加される方は出展されている商材のいずれかに興味を持っているので、販促先情報として有効活用できる。

名簿作成以外の話題で、昭和の時代において個人情報への気配りが欠如していた事例を以下二点紹介する。

タイムカード情報の漏洩

私が大学生の頃にアルバイト先で初めてタイムカードを使用したが、タイムレコーダーの上に、その部署の全従業員のタイムカードが壁に刺さっていた。

これは外勤務の従業員のタイムカードを上司が代理で打刻できるようにする意図らしい。しかし、その気になればその部署の従業員は誰でも全員の勤務状況を閲覧できてしまう。

社会人になっても、引き続きタイムカードを使用したが、部署内の全社員のタイムカードが壁に刺さっている光景は全く同じであった。その後、フレックスタイム制になってタイムカードが廃止になるまで、この光景は続いた。

今日では、この形態は見直され、タイムカードを使用している会社や部署では、普段は各人がタイムカードを保持する運用にしている場合が多い。即ち、タイムレコーダーの近くにタイムカードを置かないようにしている。そして、出退社時だけ、タイムカードをタイムレコーダーまで持参し打刻後に持ち帰るようにしている。

隣町の名医がいた外科医院

もう一つの事例として、私が通ったことがあるユニークな外科医院について紹介する。私が中学生の頃、背中にイボが多発したことがあった。イボやウオノメはヒトパピローマウイルスが皮膚に感染して寒冷刺激により発症するらしい。暖房が発達した今日では稀な過去の病気になっている。現代では、このヒトパピローマウイルスは、イボよりも子宮頸がん・子宮筋腫の原因として問題視されている。

背中にできたイボとしては、一センチ程度の大きいイボを中心に数え切れない小さいイボがあった。近所の診療所の外科で見てもらったら、全てのイボを手術で撤去するしかないと言われた。しかし、これだけ多くのイボを個別に手術で撤去しても、取り残しが起こり新たなイボが再発しそうな気がした。

そこで、セカンドオピニオンとして、当時名医として名高かった隣町の外科医院に相談しに行った。当医院の先生は普段は大学病院に勤務され、平日の午後三時頃に車でクリニックに戻ってきて外来診療を開始するのがルーチンになっていた。

ユニークなのは、先生は一名だけなのに診療室に三名ずつ患者を呼ぶ。コンピュータのマルチタスクと同様で、ある患者を治療していて検査の結果が出るまで待機といった、待ち状態になったら別の患者の診察を進める。このようにして、三名の患者を巡回しながら、ほぼ同時に休むことなく診察する。

診療室にはカルテが置いていない。初診以外は、先生は患者の顔を見れば何の病気で通院しているか思い出すとのことである。診療後に全員分のカルテを記入するらしいが、クリニック内でカルテを見かけたことがないので、本当か否かは定かではない。

問題のイボであるが、先生は初診でイボを見るなり「外科手術で撤去するとは大袈裟な」と言われた。そして、世間話をしながら、最も大きいイボに電子タバコのような電気メスを、麻酔もせずにいきなり当てて焼き切ってしまった。この動作があまりにも速かったので、私に「痛い」と叫ぶ余裕も与えなかった。

周辺の小さいイボについては、薬で除去できるとのことで注射を一本打たれた。その後、通院は必要ないと言われたが、付き添った父の顔のできものの方を心配そうに眺め、父の方の診察を始めた。

幸い父のできものは心配ないとのことで、私の背中のイボも、一か月後には全て消失した。今日の視点で振り返ると、先生の行為にはプライバシー侵害の懸念が多々あるが、名医であることは間違いなく、今でも感謝している。

伝言リレーに見られる二種の高速化

前節で複数の患者を同時に診察するマルチタスクという高速化処理の話題が出てきた。そこで本章の最後として、先に述べた小中学校における緊急連絡を題材に、伝言リレーを高速化する手法について付け加える。

「呼び出し」電話の件は置いておいて、伝言リレー形式のメリットについて述べる。例えば、先生が四十人の生徒を担任しているとする。この時、先生が四十名全員に一人ずつ電話をかける場合と、先生が先頭の一名だけに電話をかけ、以降は伝言リレー形式で連絡してもらう場合を比較する。

先生の負荷や電話料金の大小は置いておいて、名簿の最後の生徒まで全員に連絡が行き届くまでの時間はあまり変わらない。その理由は、電話をかけている人は常に一名しかいないからで、先生が一名ずつに電話をかけるのと変わらない。

ところが、伝言内容が多数ある場合（四十件以上）、例えば、百件あり、先生が先頭の一名だけに百回電話をかけて百件の伝言を連絡するとする。

そうすると、名簿の最後の生徒まで全員に百件の連絡が行き届くまでの時間は二十分の一に短縮される。即ち、二十倍の速度で連絡が可能になる。

その理由は、常に二十名の生徒が名簿の次の生徒に同時に電話をかけることが可能になるからである。この方法は、パイプライン処理と呼ばれる高速化手法である。

現実には、伝言内容が百件あって先生が百回電話をすることは有り得ないかもしれない。他の例としては、バケツリレーで百杯分の水を四十名の生徒が名簿順に手渡しにより最後の生徒のところまで運ぶシーン、あるいは、四十名の生徒が流れ作業で百個の製品を組み立てるシーンも、前述の百件の伝言リレーの形態に相当する。

電話やバケツリレーの場合は、電話をかけたりバケツを渡したりする操作だけでなく、電話やバケツを受ける操作も必要なため、二十倍の速度にとどまった。しかし、流れ作業では、四十名が同時に作業することができ、理論上四十倍の速度向上効果が得られる。

また、担任の先生のクラスを十名ずつ四グループに分けて連絡する方法もとれる。先生は各グループの先頭の一名（四名）に電話をかけ、各グループの二番目以降の生徒には伝言リレー形式で連絡してもらうようにする。

そうすると、全員に連絡が行き届くまでの時間は概ね四分の一に短縮され、四倍の速度で全員に連絡が可能になる。この方法は並列処理と呼ばれる。このように、高速化手法にはパイプライン処理と並列処理の二方式があり、一般に前者の方が高速化効果は大きい。

第4章

1970年
（DEC社PDP-11誕生）

できそうでできない規格統一
上からか下からか、どっちでも良いのに

多桁数値データ記録順序の不統一
：マルチバイトのエンディアン
［現状］未解決
［第1章］↓

かなりのＩＴ通しか知らない本章の話題

最初にお断りしておくが、本章で述べる過ち「エンディアン」は全十五章の中で唯一、ある特殊なプログラミング経験のある方でないと遭遇しない。学校では教えない、教科書に書かれていない極めてレアな話題である。

といっても、「エンディアン」については、小学生低学年レベルの算数の知識で、誰でもすんなり理解できる内容なので、ご心配には及ばない。結構経験のあるＩＴ技術者でも知らない方が少なくないので、本章の内容を知っていると、かなりのＩＴ通であると自慢話ができると思われる。

第1章で取り上げた電源周波数は周知の事項で、ハードウェアの話なので、規格変更することは簡単に進められない。しかし、本章の話題はソフトウェア上の約束事なので、その気になれば、仕様変更・規格統一を進めること自体は難しくない。

むしろ、プログラミング経験のない方には、「なぜ規格統一しないのか」と理解に苦しむと思われ、馬鹿馬鹿しい話題に映るかもしれない。

Ｗｅｂサイトのプログラミングを除き、プログラミングは一般に、Windows パソコン向け、Android スマホ向けなど、ある特定の情報機器（プラットフォームと呼ばれる）をターゲットに進められる。この範疇でプログラミングを進めている限り、本章の問題には遭遇しない。

これに対して、開発したプログラムをＯＳが異なる別の情報機器向けに移植する場合、あるいは、ＯＳが異なる別の情報機器との間でデータをやりとりする場合に本問題に遭遇する。

例外として、同一の情報機器で別のアプリとデータをやりとりする場合でも、本問題に遭遇することがある。私にとってはこの例外が本問題に最初に遭遇した事例になったので、詳細は後述する。

「エンディアン」とは

「エンディアン」という言葉から『ガリヴァー旅行記』という物語を思い出された方は、既に半分くらい理解が進んでいると思って良い。

最初にたとえ話で「エンディアン」について説明する。日常使用する十進法で４桁の数値「１２３４」をコンピュータのメモリに記録する場合を考える。コンピュータのメモリには、コンピュータが発明された頃から、１バイト（８ビット）単位に記録する習慣がある。

1バイトには0～255までの数値を記録できるが、話を簡単にするため、前述の十進法4桁の各桁（0～9）を1バイトずつ全4バイトで記録するものとする。

初期のコンピュータでは下位の桁から「4」「3」「2」「1」の順に、4バイトのメモリにメモリアドレスが若い方から記録する方法がとられた。

その後、別のコンピュータ（IBMなど）では上位の桁から「1」「2」「3」「4」の順に4バイトのメモリに記録する方法がとられ、両者は対立する関係になった。

例えば、横書きで4桁の数値を書く場合に、現状のように左から右に上位の桁から順に書くか、逆に右から左に上位の桁から順に書くか（日本ではこういう書き方をした時代もあった）、の違いのようなものである。単純な話だが、読み方の規則を間違えると桁違いな値になってしまうので、この影響は大きい。

『ガリヴァー旅行記』では、ゆで卵の丸い方から割る人（Big Endians）と尖った方から割る人（Little Endians）の対立が語られている。これに倣って、前者の上位の桁からメモリに記録する方法は「ビッグ・エンディアン」、後者の下位の桁からメモリに記録する方法は「リトル・エンディアン」と命名された。

エンディアンの拡張と日付での活用例

中にはリトルとビッグをハイブリッドにした例もあり、ＤＥＣ社のＰＤＰ‐11というミニコンでは、前述の４桁の数値を「２」「１」「４」「３」の順にメモリに記録していた。４桁中の上位２桁の数値と下位２桁の数値は「ビッグ・エンディアン」の順で、各々の２桁同士は「リトル・エンディアン」の順にしており、「ミドル・エンディアン」と呼ばれる。

次章の話題と関連するが、このような多様なエンディアンは日付の表記でも使われている。例えば、「一九九九年十二月三十一日」は日本などアジア圏では「1999/12/31」と「ビッグ・エンディアン」で表記されるが、欧州では、「31/12/1999」と「リトル・エンディアン」で表記される。さらに、米国では、「12/31/1999」と「ミドル・エンディアン」で表記される。

実際のコンピュータでのエンディアン

これまでの説明では１バイトに０～９の数値を記録する形態であったが、実際のコンピュータのメモリでは、1バイトに0〜255の数値を記録できる。従って、前述の十進4桁の数値「1234」は、十六進で「04D2」であるから、上位バイト「04」と下位バイト「D2」の2バイトだけで記録できる。

ここで、十六進の「D2」は十進の「210」を意味する。十六進では0〜9は十進と同じだが、10〜15はアルファベットのA〜Fで表記する。

以上のことから、前述の十進4桁の数値「1234」を2バイトのメモリに記録する場合、「リトル・エンディアン」では、「D2」「04」の順に、「ビッグ・エンディアン」では、「04」「D2」の順に記録することになる。

また、同数値を4バイトのメモリに記録する場合、「リトル・エンディアン」では、「D2」「04」「00」「00」の順に、「ビッグ・エンディアン」では、「00」「00」「04」「D2」の順に記録することになる。

「リトル・エンディアン」のメリット

このように4バイトのメモリに数値を記録する際、「リトル・エンディアン」の方法をとると、本事例のように数値が小さい場合、後半のバイトには0が続く。

この時、工夫をすれば、３バイト目以降のメモリへの記録を省略でき、メモリを節約できるというメリットがある。次章で述べる話題と関連するが、初期のコンピュータはメモリ容量が小さく高価だったので、メモリをケチることが重要であった。

このように、下位の桁からメモリに記録する「リトル・エンディアン」の方法は何となくへそ曲がりに思われるかもしれないが、メモリを節約できるというメリットがあった。しかし、メモリが安価で大容量になった今日では、本メリットはほとんどない。

プログラミングを行う際は、整数の数値を大きさに応じて、１バイト、２バイト、４バイト、８バイトのいずれかの単位でメモリに記録する。

この時、２バイト以上の単位でメモリに読み書きする場合は、ターゲットの情報機器のＯＳ（プラットフォーム）ごとに定められたエンディアンで記録される。ただ通常は、プログラマーがメモリ上にどのような順番で記録されているかについては意識する必要はない。

なぜなら、ＯＳがなんであれ、プログラミングをする際は、４バイトの整数をメモリに書き込む、あるいは４バイトの整数をメモリから読み込むという書き方をして、４バイトを書き込む順序についてはは指示しないためである。

エンディアンがからむ課題の初体験

以上述べたエンディアンの問題に私が最初に遭遇したのは、一九九六年頃である。前書②第5章でも述べた「ピアノに喋らせる研究」において、Windowsパソコン向けに音楽関係のファイル変換ツールを開発していた時であった。

この開発を進めていた変換ツールでは、同じWindowsパソコンにインストールされている他社の音楽ツールから出力されるオーディオファイルを読み込む。

そして、本変換ツール内でＭＩＤＩ（ミディ）ファイルに変換して出力を行い、同音楽ツールに返せるようにするものである。ちなみに、ＭＩＤＩファイルは電子楽器を制御して自動演奏を可能にする音符のようなデータ形式である。

オーディオファイルはWindows OSを開発したマイクロソフト社のＷＡＶ（ワブ）と呼ばれる形式で、音楽業界では既にデファクトスタンダードになっていた。本ツールを含む種々の音楽ツールでＷＡＶ形式がサポートされている。

Windowsパソコンは、「リトル・エンディアン」であるので、オーディオファイルも「リトル・エンディアン」で記録されていて、他社の音楽ツールとのやりとりに問題は生じなかった。

これに対して、ＭＩＤＩファイルは国際標準のＳＭＦ（Standard MIDI File）という規格化された形式である。本変換ツールから出力したＭＩＤＩファイルが、同じWindowsパソコンにインストールされている他社の音楽ツールでは読み込めないことが判明した。

ＭＩＤＩファイルはＭａｃの仕様

他社の音楽ツールはブラックボックスでいじれないので、開発中の本変換ツールで原因を調べるしかない。しかし、本変換ツールでは問題のＭＩＤＩファイルを適切に読み込めるので、原因追及に難航した。

国際標準のＳＭＦ規格書を読み返した結果、この規格書の策定にあたり、Ｍａｃを使用して各種試験が行われたことがわかった。音楽業界では、Windowsよりﾑａｃの方が音楽再生時のモタツキが少なくユーザインタフェースが良いため、利用者が多い。

ということは、ＭＩＤＩファイルはＭａｃで開けるように作成する必要があることを意味する。Ｍａｃは「ビッグ・エンディアン」であるので、たとえWindowsパソコン内でのデータのやりとりでも、「ビッグ・エンディアン」でＭＩＤＩファイルを作成する必要があることが判明した。

案の定、出力するＭＩＤＩファイルの仕様を「ビッグ・エンディアン」に修正することにより、他社の音楽ツールに渡すことができた。

このＭＩＤＩファイルの出力仕様の変更に伴うプログラムの修正負荷はそれほど大きくなかった。これに比べて、エンディアンがトラブルの原因であることが判明するまで、結構な時間を要した。エンディアンがどちらかに統一されていれば、このような余計な時間を費やすことはなかったのでは、と悔やまれる。

第5章
1981年
（IPv4制定）

目先のことしか考えない
Y2K問題とIPアドレス枯渇

メモリ節約を優先：日付の記録書式とネットワークアドレス
［現状］解決済
［第2章］→

コンピュータにおける時計の重要性

本章の話題は前章で述べた話題と同様にＯＳやアプリケーションなどのソフトウェアに関するものである。ただし、表題の「西暦２０００年（Ｙ２Ｋ）問題」は前世紀末に全世界で社会問題にまで発展した有名な話である。そのため、ＩＴ関係者でなくても、前世紀に生まれた多くの方には周知の事項と思われる。

前書②の第1章でも述べたが、コンピュータには必ずクロック（時計）があり、ＣＰＵ内の各トランジスタがクロックの合図に従って動いている。また、コンピュータ内で生成される各種ファイルを管理するために、日付と時刻の情報が重要であり、この用途にもクロックが使用されている。

そのため、コンピュータ内で常時正確な日付と時刻の情報を参照できるようにしている。当初は我々が日常使用する時計と同様に、手動で時々時刻合わせを行っていた。

しかし、現在ではインターネットと接続できるので、ネット経由で電波時計と同様に標準時刻を取得でき、自動的にコンピュータ内の時計の校正が行えるようになっている。

西暦は下２桁だけ記録するようにした

日付と時刻の情報は、西暦を除く、月・日・時・分・秒の五つの値は全て１バイト（０～２５５の値を表現可）で表現できる。西暦だけは２バイト（０～６５５３５の値を表現可）のメモリを必要とする。

ただし、西暦の上２桁は百年に一回しか変化しないので、このために１バイト余計にメモリを使用するのは無駄であると考えられていた。

今から百年前には、コンピュータすら存在していないので、西暦の上２桁は固定値でほとんど問題ないと考えられていた。そこで、西暦の下２桁だけ記録する方法がとられた。

例えば、「一九九九年十二月三十一日」を「99/12/31」と記録するようにした。こうすると、日付も時刻も3バイトで表現できて、すっきりするので、この日付の記録方法が前世紀末までコンピュータ業界の世界標準になった。

前章でも述べたように、初期のコンピュータのメモリは容量が小さく高価であったので、何かとメモリをケチるアイデアを創出する習慣があった。

私自身は、大学三年で初めて日立の大型コンピュータに触り、社会人になってＤＥＣ社（現ＨＰ社）のミニコンやＮＥＣのパソコンなどを使用したが、いずれも日付は「99/12/31」

のように6桁の数字に統一されて表現されていた。

西暦2000年問題とは

一九九〇年代になり、二一世紀が目前に迫ってきた頃、二〇〇〇年になると、種々の情報機器が誤動作する可能性があることがマスコミで報道されるようになった。下2桁で表現される西暦が、二〇〇〇年になると、「00」にリセットされるからである。

もっとも、この指摘は単なる予言や可能性ではなく、種々のトラブルが起こることは必至で喫緊の課題になった。例えば、一九九九年の大晦日に飛行している航空機が、日付が変わる頃に、自動操縦のプログラムが誤動作し、制御不能に陥り墜落してしまうのではという指摘もあった。

例えば、「二〇〇〇年一月一日」に作成されたファイルと、「一九九九年十二月三十一日」に作成されたファイルを、西暦の下2桁だけで比較する。そうすると、前者の二〇〇〇年に作成されたファイルの方が先に作成されたと誤判定されてしまう。これが「西暦2000年問題」である。

本問題の解決策としては、西暦を4桁に拡張すれば良いだけなのだが、この修正が口で言うほど容易ではなかった。また既作成のファイルなど、西暦を4桁に修正すること自体ができない場合もある。

そこで、西暦の下2桁が50以上の場合は上2桁に19を付加し、下2桁が49以下の場合は上2桁に20を付加した4桁に修正を行う暫定策もとられた。

この方法で西暦を4桁に変換した上で、各種日付の計算ロジックを実行させると一応辻褄が合う。ただし、この方法をとったとしても、「西暦2050年問題」が起こることを覚悟しなくてはならない。

予想以上に難航したY2K問題対策

この頃は皮肉にもインターネットの普及が始まり、会社の全ての従業員に一台ずつパソコンが配布され始めて、会社や家庭で日常的にパソコンを使用する人が急増した時期でもあった。

そのため、全世界でソフトウェアを開発している企業において、出荷済のソフトウェアが「西暦2000年問題」の影響を受けるか否かの調査を始めた。

有名なところでは、マイクロソフトの「Office95」が本問題の影響を受けるなど、予想外に影響を受けるパソコン用のソフトウェアが多いことが判明した。マイクロソフトはその次期バージョン「Office2000」の提供を既に準備していたが、「Office95」ユーザ向けに「西暦2000年問題修正ツール」の提供も実施した。

私自身も自社で自分が開発を担当したもので、現場で稼働しているソフトウェアについて、「西暦2000年問題」の影響を受けないかの調査をさせられた。幸い、日付を参照するアプリケーションがなかったので、何事もなかったが。

一九九九年末は全世界のIT企業で大騒動

しかし、社内外において、「西暦2000年問題」を抱えているソフトウェアの開発担当者は、ソフトウェアの改修に忙殺された。一九九九年末のカウントダウンの時期は、自社に限らず、国内の多くの企業のエンジニアが正月休み返上で、修正したソフトウェアの正常稼働を見守った。

そのため、正月休みに日本国内の多くのビジネスホテルが満室になるという異様な事態が起きた。昨今でもコロナ禍により、軽症な感染者は病院に入院させずに、ビジネスホテルでも療養させるようにしたため、観光業や旅館業が苦戦している中、ビジネスホテルだけが意外な特需を迎えたことがあった。

このように、本来４バイト必要な日付の情報を３バイトに節約しただけで、日本だけでなく全世界でこれだけの大騒動を引き起こすことになった。しかし、昭和の時期には、このような事態になることを全世界のコンピュータエンジニアの誰しもが予見できていなかった。

インターネットにおけるＩＰｖ４問題

Ｙ２Ｋ問題と同じような過ちをインターネットでも起こしている。インターネットで通信を行う場合、各端末にＩＰアドレスと呼ばれるユニークなアドレスを割り当てる必要がある。一九八一年に「ＩＰｖ４」と呼ばれるアドレスの規格化が進められ、「192.168.50.111」のように４バイトの数字で表現することが定まった。

前述の「西暦２０００問題」が発覚したあとにこの規格化が進められていれば、もう少し余裕のある桁数のアドレスを定めたはずである。

当時、パソコン通信が既に商用利用されていたので、インターネットは、アカデミックな情報交換を想定していた。今日のように、インターネットが商用利用されたり個人がアクセスすることは想定していなかった。ちなみに、パソコン通信では、各端末をログイン・アカウントで識別する方法をとっているため、識別可能な端末数に理論上制限はない。

インターネットは全世界で利用されているが、４バイトのＩＰアドレスにより四十二億九千台の端末を識別できる。しかし、二〇二〇年の段階で世界のインターネット接続の端末数は六十億に達しており、ＩＰｖ４の総アドレス数を超えている。即ち、全ての端末に固定のＩＰアドレスを割り振ることはできない。

幸い、ＩＰアドレスの多くはインターネット接続時に、端末を識別するために一時的な仮の番号を設定するようにしている。そうすると、端末の電源を切れば使用中のアドレスは他の端末に割り当てることができる。

つまり、常時六十億の端末を識別できるようにする必要はない。それでも、今後さらに端末数の増加が見込まれ、アドレスが不足して通信できなくなる日が来るのは時間の問題である。

ＩＰアドレスとは別に、各端末にはＭＡＣアドレス（Media Access Control address、物理アドレスとも呼ばれる）と呼ばれる端末固有のアドレスがメーカー側によりあらかじめ割り振られている。これは、端末に装着されている通信カードのシリアル番号のようなものである。

こちらのアドレスは６バイト確保されており、二百八十一兆個の端末を識別できるので、せめてＩＰアドレスもこれと同じ桁数を確保していれば問題にならなかったであろう。

枯渇するＩＰｖ４アドレス対策

インターネットが個人にも普及し始めた一九九八年に、ＩＰｖ４アドレスが将来枯渇するという危機感から、ＩＰｖ６と呼ばれる拡張規格の検討も進められた。

こちらは、ＩＰｖ４の四倍の16バイトの桁数があり、四十二億の四乗個の端末を識別可能である。近年、モノのインターネットＩｏＴ（Internet of Things）と呼ばれ、コンピュータの端末だけでなく、監視カメラやスマートスピーカーなどの電子機器がインターネットに接続されるようになった。これだけ多くのアドレスが使用できれば、各ＩｏＴ機器に固有のＩＰアドレスを割り当てることが可能になる。

しかし、既設のネットワーク機器や端末にＩＰｖ６規格をサポートさせるには年月を要するため、当面はＩＰｖ４規格との併用になる。

そこで、会社や家庭といったエリア内で通信を行う場合には、プライベートアドレスと呼ばれる、エリア内でしか通用しないＩＰアドレスを割り当てる暫定的な手法が現在とられている。

このプライベートアドレスはＩＰｖ４アドレスの規格に準拠しているが、エリア内に限定したユニークな番号になっているだけで、他のエリアでも重複して使用される。

そして、エリア内の端末が外部のエリアと通信を行う場合は、ＮＡＴ（Network Address Translation）と呼ばれるアドレス変換により、全世界でユニークなグローバルアドレスに一時的に変換される。

この方法では、エリア内の利用者が増大する分には支障ないが、エリア数が増大すると、各エリアに割り当てるグローバルアドレスが枯渇するので、あくまで暫定的な対策になる。従って、抜本的な対策はＩＰｖ６への全面移行である。

最初にもっと余裕のある桁数をもたせてアドレスを規格化していれば、このようなややこしい対策は不要であったはずである。即ち、「西暦２０００年問題」と同様に、ちょっとしたケチなアイデアが将来の大騒動につながる事例である。

計算機の無駄遣い

同じアングルの絵を何度も計算

第6章

1982年
（SGI設立）

高価なハードウェアに依存：リアルタイムな三次元映像の計算
［現状］未解決
↓リアルタイムMP3デコーダへの応用［第8章］
↓GPGPUとして汎用並列計算への活用、
ビットコインのマイニングへの応用［第12章］
↓VR、メタバースへの応用［第13章］
［第3章］↓

三次元コンピュータグラフィックスとは

コンピュータグラフィックス（CG）とは、コンピュータを用いて真っ白（CGでは背景は真っ黒が多い）なキャンバスに0から絵を作成する技術である。二次元と三次元の二種のアプローチがある。

二次元はイラストや漫画などを作成する場合に用いる手法である。紙面の代わりに画面上でバーチャルなペンを動かして絵を描く方法で、手書きで描く操作は机上で行うのと基本的に変わらない。

画期的なのは三次元のCG（3DCG）で、デジタルカメラやビデオカメラで実写撮影した写真や映画のような（フォトリアリスティックと呼ばれる）画像データをコンピュータの計算により作成することができる。一般的にCGと言うと、本章で述べるCGもそうであるが、3DCGの方を指す。

一般的な3DCGの作成方法は次に述べる二つの工程に大別される。まず、シーンに映る三次元被写体の輪郭（ワイヤーフレームとも呼ばれる）を入力するモデリングと呼ばれる工程がある。絵画でいえば、デッサンに相当する。

続いて、モデリングされた輪郭線の内部を画素（ピクセル）で塗りつぶし、デジタルカメラで撮影されたような画素の集合体である画像データを生成するレンダリングと呼ばれる工程がある。

モデリングは、ヒトがコンピュータと対話しながら手動で指示を行う作業が主体になる。そして、作成した被写体をステージに配置して被写体に動きをつけたり、仮想的に照明やカメラを配置して、カメラアングルの指示を行う。

これに対して、レンダリングは、モデリングされたデータと指示された照明やカメラアングルを基にコンピュータが、生成する画像の各画素の色を計算する。この工程ではヒトは基本的に介在せず、コンピュータにおまかせとなる。

計算が終了するまでは、仕上がりの画像を確認できない。そのため、最初は画素が粗い画像を計算させて確認を行い、問題がなければ高精細な画像を再計算させる方法がとられる。写真や映画レベルの高精細な画像の計算が終了するまで結構な時間（場合により結構な日数）待たされることがある。

これは、前書①の第7章でも述べた、フィルムカメラで撮影したフィルムを写真屋さんで現像・プリントしてもらうのと似ているが、写真屋さんの方が先に仕上がってしまうことが少なくなかった。

３ＤＣＧとの出合い

私は入社直後の一九八三年に、３ＤＣＧを用いた容器のデザインを行うソフトウェアの開発を担当した。そして、二〇一九年の退職の直前では、医療分野向けの3ＤＣＧソフトウェアの開発を担当していた。その間も、室内の内装デザインのシミュレーションを行うツールの開発を担当するなど、３ＤＣＧとは何かと縁があった。

入社直後は3ＤＣＧの黎明期で教科書もなく、日本では一部の大学で研究を行っていたレベルだった。３ＤＣＧの特別講義を受けるため、夏休みに名古屋大学の研究室を訪問したこともあった。

当時、名古屋大学では私が退職時に担当した、医療分野向けのボリュームレンダリングという計算負荷が非常に高い3ＤＣＧの研究も進めていた。

この頃は、ボリュームレンダリングにより一枚の絵を計算するのに、ミニコンを用いて三時間以上を要していた。これに対して、私が退職時に開発したソフトウェアではWindowsノートパソコンを用いて、〇・一秒程度で計算できるようになった。

即ち、私が入社してから四十年弱の間に、ＣＧの計算性能が十万倍以上も向上したことになり、隔世の感がある。しかし、ここまで来る間に数々のＣＧ専用のコンピュータが続々と開発され、全世界で莫大なお金が投入されたことも忘れてはならない。

医療分野で使用されるソリッドモデル

前述したボリュームレンダリングでは、人体内にある臓器の構造など外観ではわからない被写体の中身まで忠実にデータが入力されている。このように被写体の中身も入力されるモデリングは、ソリッドモデルとも呼ばれる。

この方法を用いると、適当な箇所で被写体を切断すると、ボリュームレンダリングにより、仮想的にメスで切断したような断面像を正確に計算できるので、医療診断や外科手術の予行演習に活用されている。

しかし、人手でこのような緻密なソリッドモデルを作成することは困難で、医療機関で検査に使用されているＣＴやＭＲＩスキャナを用いて被写体を入力する。ちなみに、日本は医療用のＣＴやＭＲＩスキャナの人口あたりの保有台数では世界一である。

人体をできるだけ細かいステップで断層撮影してもらうと、撮像された断層画像の集合体（ボクセルと呼ばれる）がそのままソリッドモデルとしてボリュームレンダリングに使用できる。即ち、モデリング工程でもほとんど人手を必要とせず、代わりにＣＴやＭＲＩ

スキャナ装置がモデリング作業をやってくれる。

現在の主流、サーフェースモデル

これに対して、ゲーム・映画・VR（バーチャルリアリティ）・メタバースなどで我々が普段目にする機会が多い3DCG画像ではサーフェースモデルが使用される。

これはモデリングにおいて被写体の表面しか入力されておらず、切断してレンダリングすると中身が空洞になっている。シーン内にアバターとして人間が映っていることは多いが、人体内部の臓器は作成されていない。

例えば、球体をモデリングする場合は、サッカーボールのような表現をする。周知のとおりサッカーボールの表面は正五角形と正六角形のパッチワークになっており、ボールの中身は空気である。

このように五角形、六角形などの多角形（ポリゴン）を用いて被写体の表面だけをモデリングするので、ポリゴンモデルまたはサーフェースモデルと呼ばれる。

ただし、レンダリングにおける多角形の塗りつぶし処理を簡素化するため、五角形は三つの三角形に、六角形は四つの三角形に分割し、全てのポリゴンを三角形に統一する方法が一般に用いられる。

三角形を基に陰影のある画像に仕上げる手法

レンダリングは、指定されたカメラアングルに基づいて被写体を三次元的に回転させ、被写体を構成する各三角形をカメラのフィルムにあたる画像フレーム面に投影することにより、計算が実行される。

被写体を回転させる際に、各三角形の三つの頂点座標の各々に対して三次元的な座標変換が行われる。具体的には三次元の頂点座標に対して、4×4次元の行列を乗算する演算が実行される（回転や変倍だけであれば3×3次元の行列演算になるが、位置を動かすためには4×4次元の演算が必要）。この時、被写体の形状が曲面など複雑になればなるほど三角形の個数が増加し、行列演算の実行回数も増える。

続いて、各三角形の内部を画素に分割して塗りつぶしていく。この時、各三角形に指定された色でフラットに塗りつぶすとリアリティに欠ける。

そこで、各三角形に光学的な反射特性（鏡面や拡散面など）を設定し、指定された照明光を基に光学的に陰影を計算して、塗りつぶす各画素の色を決定する。そうすると、レンダリングされる被写体に陰影感が加わり立体感も増す。

三角形を基に写真調の画像に仕上げる手法

各三角形には反射特性として、あらかじめ色が設定されているが、三角形の内部が均一な色だと質感が表現できない。例えば、被写体が木目調の箱の場合、均一な色だと茶色の直方体になってしまう。

そこで、この場合は木目の写真をテクスチャとしてあらかじめ入力しておき、塗りつぶす各画素の色をテクスチャから順次ピックアップするようにする。

そうすると、三角形に木目の写真の一部が貼り付いたようなイメージになる。この方法はテクスチャマッピングと呼ばれ、計算負荷は大きいが質感やリアリティが劇的に向上する。

透明感を表現する手法

これまでは三角形が不透明であることを前提に説明してきた。これに対して、例えば、ガラスのコップやコップ内の液体のような透明・半透明な被写体を表現するには、計算対象の三角形だけでなく、周辺にある三角形を考慮する必要がある。

具体的には、計算対象の三角形に対して、後方にある三角形が透けて見えたり、屈折して見えたりする効果や、前方にある三角形が映り込んだり、影を落としたりする効果を表現する必要がある。

このような緻密な表現を可能にする光学的な計算手法として光線追跡法（レイトレーシング）が考案されている。前述の陰影計算やテクスチャマッピングに比べ非常に計算負荷がかかる手法ではあるが、透明感を含むよりリアリティのある表現が可能である。

３ＤＣＧ専用コンピュータの開発

モデリングは画面上に三角形の集合で定義されるサーフェースモデルを表示させるだけである。三角形の輪郭線だけをワイヤーフレームとして表示させる方法をとれば、それほど計算負荷は大きくない（ただし、前述の４×４次元の行列演算は必要）。

しかし、レンダリングは前述したような陰影感・質感・透明感などの計算を行う必要があるため、一枚の絵を作成するだけでもかなりの計算負荷を要する。おまけに、３ＤＣＧ

の主要用途は、昔も今も、ゲームやVR（バーチャルリアリティ）など対話性能が要求される分野である。

この分野ではカメラアングルの変更（VRの場合はゴーグルを付けた頭を動かす動作）に追従してレンダリングを何度も繰り返す必要がある。しかし、一枚の絵のレンダリングに一秒以上かかったら話にならない。

といって、当時（一九八〇年代）の汎用のCPUでこの性能を出すのは不可能であった。そのため、ある程度の投資を覚悟でグラフィックスエンジンと呼ばれるCG専用のコンピュータが、一九八〇年初頭より米国シリコングラフィックス社を中心に開発されてきた。

そして、目標の性能を達成すると、より緻密でリアリティの高いポリゴンモデルを高画質でレンダリングできるようにすることが求められた。これを受けて、さらに処理能力の高いグラフィックスエンジンが開発され、投資コストを回収できないまま、ある意味、自転車操業で開発が進められてきた。

特に、ゲームやVRといった、世の中にあまり役立たないエンターテインメント分野向けに、数千万円オーダーのグラフィックスエンジンを開発する意義はあるのか。さらに、民生化できるオーダーに価格を下げられる見込みはあるのか、と非難された時期があった。

しかし、そのような心配を振り切り、一九九四年にソニーは数万円オーダーでゲーム機

PlayStation にグラフィックスエンジンを実装することに成功した。さらに、同時期に創業した米国NVIDIA社はグラフィックスエンジンを1チップ化したGPU（Graphics Processing Unit）の開発に成功し、現在のパソコンやスマホに搭載されている。

レイトレーショング専用コンピュータ

グラフィックスエンジンやGPUは、三角形単位に行っている計算を、複数のプロセッサに三角形を順次割り当てて、第3章で述べたパイプライン処理と並列処理の形態で実行させることにより高速化している。

そのため、計算を実行する際に、単一の三角形だけでは完結できない場合には対応できない。例えば、透明感を表現するため周辺の他の三角形を参照する必要がある、前述の光線追跡法については対応できない。

この場合は、生成する画像フレームを構成する各画素にCPUを割り当て、複数の汎用プロセッサで並列に計算を実行させる方法をとる。例えば、パソコンに実装されているCPUが4コアであれば、四つのコアで4画素分の計算を並列に実行させることができ、処理速度が四倍になる。

これを国内で最初に試みたのは大阪大学で、「ＬＩＮＫＳ」と称する独自の並列コンピュータを開発している。これは、大量のパソコンを並べて、各画素の計算に一台ずつパソコンを割り当てるようにしたものである。これは、一九八五年のつくば万博（国際科学技術博覧会）の富士通パビリオンで上映された立体ＣＧ映画「ザ・ユニバース」の制作に使用された。

また類似した手法として、米国ＡＴ＆Ｔのベル研究所は、六十四個のＤＳＰ（Digital Signal Processor）を用いて8×8画素のレンダリングを並列に行える、「ピクセルマシン」というコンパクトな商用並列計算機を一九八八年に開発している。

このマシンはコントローラのワークステーションを含めて、当時の日本円で五千万円を優に超えたが、第3章で述べたパイプライン方式のグラフィックスエンジンも搭載していた。

特に、リアルタイムにテクスチャマッピングが行える機能（ハイビジョンクラスの画像の計算が1／30秒未満で実行可能）が世界で初めて実現され感動した。しかし、光線追跡法についてはリアルタイムからはほど遠く、64プロセッサではまだまだ不十分に思われた。

3DCGのレンダリング計算の無駄

３ＤＣＧのレンダリング研究については、リアリティや高画質を優先させ、計算コストの要因や削減策についてはあまり考慮されてこなかったように思われる。計算コストが高ければ、より高性能なグラフィックスエンジンを開発して、場当たり的な対応をしてきた。

前述のレンダリングの説明のとおり、基本的に全ての三角形を画素に分割して塗りつぶす処理を行うが、最終的に上書きされ画像としては可視化されない三角形も結構ある（むしろその方が多い）。

例えば、前述のサッカーボールを例にとると、ボールが透明でなければ、裏側の半球を構成する三角形は見えないため、本来は計算する必要はない。

特に、被写体が緻密に高精細にモデリングされているのに、生成する画像フレームの解像度が高くない場合、二次元に投影すると多くの三角形が同じ位置に重なってしまう。即ち、せっかく計算しても、裏側に隠れて、可視化されない無意味な三角形が増えてくる。

また、ゲームやＶＲといった用途では、同じ位置でアングルだけ変化する操作が繰り返される。この時、過去に計算したのと同一のアングルで計算される場面が確率的に増え、同じ画像の再計算が繰り返しなされることになる。

以上のように、計算負荷が大きいＣＧのレンダリングにおいては、無駄な計算が潜在的に結構行われているのではという疑問はある。

これに対して、無駄な処理を追求してソフトウェアの構成を見直すのと、高速なグラフィクスエンジンやＧＰＵといったハードウェアを開発して対応するのとでは、どちらが早道で低コストになるかという判断になる。

幸い、ＧＰＵについては、ＧＰＧＰＵ（General Purpose GPU）と称して、人工知能のディープラーニングと呼ばれる機械学習や、第12章で述べるビットコインのマイニングなど、ＣＧ以外の分野で計算負荷の高い汎用計算に活用する動きも出てきている。即ち、グラフィックスエンジンはゲームなどのＣＧ以外の分野でも有効活用され始めている。

計算機の無駄遣い
パソコンの定期的なウイルス検査

第7章
1990年
（アンチウイルスソフト誕生）

セキュリティ対策ツール：ＰＣごとにウイルス検出ツールの更新と実行

［現状］未解決

↓Ｐ２Ｐを狙ったウイルス感染［第９章］
↓ＵＳＢメモリを用いたウイルス感染［第10章］
↓ランサムウェア（身代金をビットコインで支払要求）［第12章］

最初のコンピュータウイルスとの出合い

職場のパソコンについては従業員全員にWindows95パソコンが配布された頃から、マイクロソフトのOfficeとトレンドマイクロのウイルス検出ツールがインストールされていた。

週に一回は、ウイルス検出ツールを起動して、パターンファイルを更新し、ハードディスク内をスキャンしてウイルスなどのマルウェアのファイルがないかを探索する習慣があった。そのため職場では、幸いにもコンピュータウイルスに感染した経験がない。

しかし、自宅で使用していたパソコンには、当初ウイルス検出ツールを導入していなかったので、コンピュータウイルスに感染した経験がある。

感染したのは、二〇〇三年に全世界のWindowsXPパソコンに蔓延した「W32/MS-Blaster」と命名されたウイルスである。これはWindowsXPパソコンをインターネットに接続するだけで自然と感染する強者であった。

即ち、セキュリティマニュアルに記載されているNGアクションをユーザが起こさなくても感染する。具体的には、あやしいWebサイトに接続したり、メール本文に記載されたURLをクリックしたり、メールに添付されたファイルを開いたりといったアクションを起こさなくても感染する。

感染するとWindowsXPのシステムフォルダに「MSBLAST.EXE」という名称のプログラムがインストールされる。このプログラムはパソコンが起動していてもインターネットに接続されていなければ、何も症状を表さない。

パソコンをネットに接続すると、このプログラムが起動されてウイルスが活性化される。そうすると、「数分後にシステムをシャットダウンします」というメッセージが表示され、カウントダウンが始まる。

このウイルスはパソコン作業を妨害するだけであるが、駆除するのに結構苦労した。テレビ番組でも、このコンピュータウイルスに関する臨時ニュースが流れて対処方法が告知された。

ウイルス感染の原因はWindowsXPのセキュリティホールにあったので、マイクロソフトはＯＳの更新ツールの配布を始めた。また、トレンドマイクロなどのセキュリティメーカーからも本ウイルス専用の駆除ツールが無償で提供された。

問題は、このような対策ツールを入手するためには、パソコンをインターネットに一定時間接続してダウンロードする必要がある点である。当時自宅のパソコンは電話回線でインターネットに接続していたため、ダウンロードにそこそこ時間がかかっていた。

前述のとおり、このウイルスに感染したパソコンをネットに接続すると、既定時間後には勝手にシャットダウンされてしまうため、その前にダウンロードを終了させなければいけなかった。そこで、駆除ツールを数回に分けてダウンロードする方法をとり、何とか駆除することに成功した。

これを機に自宅のパソコンにも会社と同様にウイルス対策ツールを導入し、定期的にウイルススキャンとWindows OSの更新を行うようにした。そして、もう少し速度が速いネットワーク環境（ADSL）の導入を検討し始めた。

そのお陰か、以後今日まで、自宅のパソコンもウイルスに感染したことはない。もっとも、Windows OSのセキュリティが強化され、インターネットに接続するだけで感染するような感染力の強いウイルスの開発が難しくなったのが大きな理由と思われる。

コンピュータウイルス開発者の目的

コンピュータウイルスを開発するエンジニアには「ハッカー」と「クラッカー」の二種類の集団がいる。ただし、一般的には両者の区別なく総称して「ハッカー」と呼ばれることが多い。

いずれも天才的なプログラマーであるが、狭義の「ハッカー」はＯＳのメーカーなどにセキュリティ上の欠陥等を教えることを主目的としている。必ずしも悪意をもってウイルスを開発しているわけではなく、金銭的なメリットも求めない。

そのため、メーカー側が敢えて「ハッカー」にセキュリティホールを見つけてもらい、脆弱性情報を提供してくれたら「ハッカー」に報奨金を支払うという脆弱性報奨金制度も登場した。

前述のウイルスはこのような「ハッカー」により開発されたものである。WindowsXPのセキュリティ上の脆弱性を狙い、メーカーにその問題を教えることを主目的としている。そのため、感染者が多かった割に被害はそれほど大きくなかった。それでも、私は駆除するまで半日程度費やした。

これに対して「クラッカー」は純然たる悪人で金銭的なメリットを享受することを目的としている。

例えば、「ワナクライ」と呼ばれるランサムウェアがある。別名「身代金要求型ウイルス」とも呼ばれ、このウイルスに感染すると、ユーザのコンピュータのハードディスクを勝手に暗号化し、ファイルを開けないようにしてしまう。

暗号化を解除してもらうためには、身代金を支払う必要がある。支払いには、クレジットカードやＳＷＩＦＴ（アップル社のプログラミング言語ではなく、国際銀行間金融通信協会）といった足がつく国際決済システムを使用する必要はない。

後述する「ビットコイン」という匿名性が高く安価な国際送金システムが確立したので、これを利用すれば良い。従って、「クラッカー」には有利になった。

身代金の金額は、法人向けは高額だが、個人向けには数万円程度で、無謀な金額ではないため結構払ってしまう方が多いのも、「クラッカー」の狙いである。

最近では、二〇二一年十月に、コロナ禍でどこの医療機関も大変な時期に、徳島県の病院のサーバーがこのウイルスに感染し、しばらく電子カルテを閲覧できなくなるという被害を受けた。

また、二〇二二年二月二十四日から始まった、ロシアによるウクライナ侵攻に伴って、諸外国へのサイバー攻撃もさかんになり、日本もいくつかの自動車関連メーカーが被害を受けて一部製造中止に追い込まれた。

コンピュータウイルスは生物の模倣

一九七五年にミシガン大学のジョン・Ｈ・ホランド氏が「遺伝的アルゴリズム」という

コンピュータを用いた問題解決法を提案した。これは、生物進化の仕組みを模倣し、コンピュータプログラムではストレートに解けず、長時間実行させないと解けない組み合わせ最適化などの難問を解くのに向いている。

これを機に、人工生命（ALife）など生物の代謝などをシミュレーションする技術などが開発され、コンピュータウイルスの開発にも応用された。

最近では、関西大学の青柳誠司先生が、蚊を模倣して痛みの少ない注射針「マイクロニードル」を開発しており、このような研究分野は、バイオミメティクス（生物模倣技術）と呼ばれる。

ウイルス対策ツールの仕組み

本章の主題のウイルス対策ツールは、業界では別名「ワクチン」ソフトと呼ばれることもある。しかし、本ツールは新型コロナウイルスの流行で有名になった、ＰＣＲ検査に近い。ＯＳを更新して、セキュリティホールを修復してウイルス感染を予防する対策の方が「ワクチン」に近い。

ＰＣＲ検査では被験者のＤＮＡの塩基配列パターンを新型コロナウイルスの配列パター

ンと照合する方法をとっている。ウイルス対策ツールでは、ハードディスク内の全てのファイルとパターンファイルとを照合する方法をとっている。

具体的には、各ファイルの先頭のデータ配列を、あらかじめ定義しておいたパターンファイルに記録されているコンピュータウイルスの先頭のデータ配列と照合する方法をとる。

検査する対象は、ハードディスクだけでなく、SSD、USBメモリや、ネットから飛び込んできたメインメモリ上のデータ配列にも対応できる。

コンピュータウイルスが活性化してハードディスクを暗号化するなどの悪さをする前であれば、検査で陽性判定になっても、検出したコンピュータウイルスのファイルを削除すれば駆除できる。

しかし、陽性判定の状態のまま放置して、ウイルスが活性化すると、ネットワークを通じて他のコンピュータにも感染させてしまう。この辺が無症状でも隔離しないと周辺の人々にも感染させてしまう新型コロナウイルスと似ている点である。

PCR検査もウイルス対策ツールもパターンファイルがあり、これに検出したいウイルスのデータ配列が事前に登録されていないと検出できない。

データ配列が大きく変化した変異ウイルスや未知のウイルスは基本的に検出できない。

そのため、基本的に後手の対策になり、新規ウイルスとのいたちごっこを繰り返すことになる。

コンピュータウイルスに対しては、ヒューリスティックス法と呼ばれ、パターンファイルに登録されていない未知のウイルスに対しても検出する方法が提案されている。これは、ウイルスが活性化して挙動不審な行動をとる点を基に検出する方法であるが、活性化していない無症状の状態では検出できない。

新型コロナウイルスは感染症に対する油断

話は変わるが、私が大学二年の時、総合科目「免疫」というオムニバス形式の授業を半年間受けた。これは隔週で各回二コマ全八回の授業であった。講師陣のほとんどは学外の著名な免疫学の先生方で、免疫チェックポイント阻害薬「オプジーボ」でノーベル賞をとられた本庶佑先生も本授業を担当された。

ちょうどこの頃に、ＷＨＯが天然痘の撲滅宣言を行った。そのため、この授業で印象に残っているのが、「人類は初めて感染症を制覇することができた」という話で、ワクチンにより天然痘ウイルスが地球上から完全に姿を消したということであった。

ところが、この発言は最初で最後となり、これに続いて撲滅に成功した病原微生物は今のところない。特に日本では各種ワクチンの副反応による障害者が数多く出て訴訟の騒ぎになり、私たちが保健所や学校等で強制的に接取した各種ワクチンの義務化が見直された。

これに伴い、日本では感染症やワクチンの研究に対しては予算がカットされ、自己免疫病などの難病や各種ガン、成人病（生活習慣病）、iPS細胞（再生医療）などに医学研究が注力するようになった。そのため、新型コロナウイルスのワクチンや治療薬の開発において欧米に比べ大幅な遅れをとってしまった。

幸か不幸か、コンピュータウイルスに対しては、IT技術の進歩に伴って、より悪質なマルウェアやサイバー攻撃の技術が開発され、より大きな被害を継続して受けている。そのため、セキュリティ関連メーカーは開発の手を緩めなかった。

HDDからSSDへ移行対策

最近はハードディスクHDDの代わりに、半導体ディスクSSDが多用されるようになった。SSDはHDDに比べ高価であるが、アクセスが速く衝撃に強いので、ノートパソコンなど携帯する機器には有益である。しかし、SSDはHDDより劣化が速く寿命が短いという懸念がある。

　ところで、ＨＤＤを搭載したパソコンは長期に使用しているうちにＨＤＤのアクセス速度が遅くなるという現象がある。これはファイルをＨＤＤに書き込む際、複数のセクタに分割して書き込む方法をとっていることに起因する。

　ファイルをセクタに書き込む際、番号順に連続して書き込みができると、ＨＤＤの磁気ヘッドをあまり動かさなくて済み、スムーズにアクセスが進む。しかし、長期のＨＤＤの使用によりファイルの削除や上書きを繰り返すと、所々のセクタを飛ばしながら書き込む必要が生じる。そうすると、磁気ヘッドを動かす頻度が急増する。

　そこで、「ディスク・デフラグ」というツールが用意されており、ファイルを構成するセクタができるだけ番号順に並ぶように、ファイル内のセクタ間でデータの引っ越しが行われる。これは結構時間がかかり、ＨＤＤへのダメージも大きい。

　ＳＳＤの場合は、物理的な磁気ヘッドがないため、使用しているうちにＳＳＤのアクセス速度が遅くなるという現象は起こらない。そのため、「ディスク・デフラグ」ツールの使用は不要で、仮にこのツールを実行させても、ＳＳＤの寿命を短くするだけである。

ウイルス対策ツールのＳＳＤ対応

ウイルス対策ツールでは当初からＨＤＤ内の全てのファイルを開けてパターンファイルと照合する処理を、週に一回など定期的に行っている。この処理は結構時間がかかり、ＣＰＵやＨＤＤにそれなりの負荷がかかる。

しかも、パソコンが複数台あれば、全てのパソコンにウイルス対策ツールをインストールして同様な処理を個別に行う必要がある。特に、ＳＳＤに対してこのようなファイルスキャンを定期的に行うと、ＳＳＤの寿命を短くしてしまう心配がある。

タブレットやスマホにもウイルス対策ツールをインストールされている方も少なくないが、これらもＳＳＤが使用されているので留意する必要がある。

ウイルスはネットやＵＳＢメモリから入ってくるが、個々のパソコンで対策するのではなく、もう少しネットワークの上流で検査する方法を検討するべきと思われる。

ＵＳＢメモリもＳＳＤの一種なので、できればＵＳＢメモリに対してスキャンして劣化させることは避けたい。ＵＳＢメモリに書き込むパソコンでウイルス検査済であれば、敢えてＵＳＢメモリに対してスキャンして劣化させる必要はない。

ただ、書き込み元が明確でない第三者から提供されたＵＳＢメモリについては、ウイルス検査が必要かもしれない。

その際、ＵＳＢメモリをパソコンに挿すことにより、ウイルスを自動的に実行させるように仕掛けることも可能な点に留意する必要がある。周知のとおりＵＳＢメモリをパソコンに挿す場合は、事前にパソコンをネットから切り離すことが必要である。

ネットから入ってくるウイルスに対しては、既にプロバイダーのメールサーバー側でウイルス検査を行うサービスが提供されている。同様に、プロバイダーが提供するルーター（インターネットの分岐点）、プロキシサーバー（Ｗｅｂサーバーの負荷軽減のため代行を行う）、ファイアーウォール（不審なデータをせき止める）側でウイルス検査が可能になれば、個々のパソコンでウイルス検査を行う必要はなくなるのではないだろうか。

第8章

1998年
（MP3プレーヤー国内初販売）

ユーザには便利だが
圧縮音楽の功罪

音楽圧縮技術：著作権侵害とアナログLPの復権
［現状］未解決
→ネットワーク上で音楽ファイルの共有［第9章］
→CD－Rによる海賊版CDの作成［第10章］
→CDリッピングなど音楽ファイルの違法コピー対策［第11章］
［第6章］→

音楽のデジタル化に対する反論

一九八二年にアナログレコードに代わって音楽CD（CD－DA）が登場した。これは家電製品の中で初めてデジタル技術が使用された革新的な製品で、情報家電と呼ばれるジャンルの草分けとなった。

アナログレコードは音楽の振動を記録したもので、音楽の振動はマイクロフォンで取り込むと、商用電源と同様な時間的に電圧が正負に変化する交流波形になる。

この信号を1／44100秒（サンプリング周波数44・1kHz）単位に分割して各電圧を16ビット（−32768～+32767）の数値でデジタル化したデータが音楽CDに記録されている。

アナログレコードでは針で溝を引っかくことによりスクラッチノイズが生じ、カセットテープでは磁気ヘッドでテープ表面をこすることにより摩擦ノイズが生じる。

いずれにしても、アナログの場合は再生音にノイズが混入することが避けられない。そのため、アンプでピックアップされた音の信号を増幅する際、これらのノイズを抑圧する対策がなされてきた。

これに対して、音楽CDではこのようなノイズは原理的に発生しないので、ストレートに増幅するだけでピュアな音楽を楽しめる。しかし、デジタル記録にはアナログにはない欠点がある。それは20ｋＨｚ（サンプリング周波数44・１ｋＨｚの二分の一で正確には22・05ｋＨｚ）を超える音域は完全にカットされ信号が０になってしまうのである。

この20ｋＨｚという上限は、サンプリング周波数を変更することにより、自由に設定変更できる。たまたま当時ヒトが聴取可能な上限の周波数が20ｋＨｚというのが定説であったため（その後否定される）、音楽ＣＤはこの仕様で規格化された。

この可聴周波数の上限は年齢とともに下がり、私の世代では15ｋＨｚ以上は聴取困難になる。ちなみに、聴力検査では８ｋＨｚの信号音まで聞こえれば正常と判断される。

一方、アナログ記録の場合は、マイクロフォンやアンプ・スピーカーの周波数特性に左右される。デジタル記録の場合と同様に高音領域が減衰するが、ＣＤのように上限周波数を超える音域が完全に０になるということはない。

即ち、アナログ記録の場合は、上限周波数を超える音域はなだらかに減衰し、上限周波数という明確な段差は発生しない。理論上は人間の耳では聴取できない無限大の音域まで記録できる。

その後の研究により、ヒトの可聴周波数の上限が20kHzであるという説が揺らぎ始めた。森林浴の際に体感される、もっと超音波領域の高音まで知覚できるという反論が提示された。

ちなみに、88鍵の標準ピアノの最高音は4・2kHzなので、これ以上の音域は楽器の倍音が豊かに聞こえるかどうかという音色の議論になる。

二〇世紀末に「ハイパーソニック・オーディオ」と称して20kHzを超える音楽再生の重要性が指摘された。「ハイパーソニック」の定義は、音楽CDの規格であるサンプリング周波数44・1kHzを超えているか（96kHzなど）、サンプリングされたデータの分解能が16ビットを超えているか（24ビットなど）のいずれか、または双方の条件で音楽が記録されるという意味である。

これに基づき、「DVDオーディオ」や「SACD（Super Audio CD）」というCDを超える高精細オーディオ再生機が製品化された。そしてこれらの装置向けに、クラシック音楽の分野（クラシック以外のジャンルでは音楽CDとの違いがわかりにくいため）の音楽ソフトもいくつか商品化された。しかし、一部のマニア層にしか受け入れられず、速やかに衰退した。

この衰退を加速した理由としては、今世紀になって、ブロードバンド環境が浸透したこともある。「ＤＶＤオーディオ」「ＳＡＣＤ」、音楽ＣＤといったパッケージメディア離れが進み、ネットからダウンロードして音楽を聴く形態が主流となった。

そこで、二〇〇五年頃から「ハイレゾオーディオ」と名称を一新して、失敗した「ハイパーソニック・オーディオ」のリベンジを果たそうという試みが始まった。要するにネットで「ハイパーソニック・オーディオ」を楽しめるようにしたものである。

しかし、「ハイレゾオーディオ」もデジタル音楽である以上、上限周波数に伴う音域の段差の発生は避けられない。その理由もあって、最近ではアナログのＬＰレコードやオーディオカセットが見直されるようになった。

デジタル音楽に対する圧縮技術の要望

前述の「ハイパーソニック」を求める意見とは対照的に、音楽ＣＤはオーバースペックであるという対立意見もあった。むしろ、こちらの方がメジャーな感があった。音楽ＣＤのスペックを維持しながらネットワークでストリーミング配信させようとすると、１・４

Ｍｂｐｓの伝送速度が必要である。

ちなみに、ストリーミング配信とはラジオ放送やビデオ会議のようにリアルタイムに音声・音楽を送る方法である。ネットワークの速度が遅いと音の途切れが発生する。

これに対して、ダウンロード配信という方法もある。再生対象の音楽ファイルをまるごと伝送し、伝送終了後に音楽ファイルを再生する方法である。

この方法では、ネットワークの速度が遅くても、再生開始までの待ち時間が長くなるだけで、再生される音楽が途切れるといった、再生品質の問題は発生しない。しかし、録音済のファイル配信に限定されライブ配信ができないという弱点がある。また、受信者側に楽曲ファイルのコピーが蓄積されるため、著作権管理上の懸念がある。

当時の電話回線を用いたインターネットでは、ストリーミング配信は言うまでもなく、ダウンロード配信でも膨大な電話料金がかかり現実的ではなかった。そこで、音質を多少犠牲にしてでも、もう少しコンパクトな音楽ファイルに圧縮する技術が要望された。

映像圧縮に使用される音声圧縮技術に注目

一九八二年に規格化されたＣＤには、音楽以外にＣＤ－ＲＯＭなどいくつかの規格があり、「VideoCD」という動画記録方式についても規格化されている。これは動画をＭＰＥＧ（Moving Picture Expert Group）‐１という規格で圧縮し、ＣＤプレーヤーで動画を再生できるようにしたものである。

記録時間は音楽ＣＤと同じ七十四分であるが、音声付きの動画を音楽と同程度のデータ容量まで圧縮するため、かなり無理があった。仕様上は当時普及していたＶＨＳビデオの三倍モードと同程度の画質とうたっていた。そのため、市販されているＶＨＳ標準モードのビデオソフトと比較すると画質に雲泥の差があった。

案の定、VideoCD は普及せず、一九九三年より規格化が始まったＤＶＤに座を渡すことになる。VideoCD 向けのＭＰＥＧ‐１という動画圧縮技術は受け入れられなかったが、この規格に含まれる音声圧縮技術「Layer3」の方は、高圧縮率の割に音質は悪くなく好評価であった。

この「MPEG-1/Layer3」という動画向け音声圧縮の規格は略して「ＭＰ３」と呼ばれるようになった。音楽ＣＤ規格の20ｋＨｚの音域内で10ｋＨｚ以上の音成分をカットしている。

さらに、ヒトの耳で知覚しにくい、うるさい音の背景に隠れた弱い音成分（マスキング音と呼ばれる）をカットすることによりデータを圧縮している。音楽ＣＤレベルのデジタル音楽データに対して十分の一程度に圧縮しても実用上は遜色なかった。

ＭＰ３圧縮はウォークマンの形態を変えた

ソニーはＣＤウォークマンを出していたが、従来のカセット型よりかさばり、強い振動を与えると音飛びが発生するといった問題があった。その後、後述するＣＤよりコンパクトなＭＤウォークマンも出したが、音飛びの問題は解決しなかった。そこで、一九九八年にダイヤモンド・マルチメディア・システムズが「Rio PMP300」という世界初のＭＰ３プレーヤーを開発した。

記録媒体は後述するＵＳＢメモリに使用されているフラッシュメモリという半導体で、最初のモデルは32メガバイト実装されていた。

楽曲をＭＰ３により十分の一程度に圧縮すれば三十分まで記録できた。

これを機にソニーを含め種々のメーカーがＭＰ３プレーヤーの開発に参入し、二〇〇一年にアップル社が「iPod」を発表してブレークする。

ＭＰ３プレーヤーで音楽を持ち歩けるようにするためには、はじめに音楽ＣＤに記録されている非圧縮の楽曲データを抽出する必要がある。この操作は、ＣＤドライブが付いているパソコンで「リッピング」というツールを用いて行う。

そして、ＭＰ３圧縮ツールを用いて抽出した楽曲データをＭＰ３形式に変換し、ＭＰ３圧縮楽曲データを作成する。最後に、ＭＰ３プレーヤーをパソコンに接続し、ＭＰ３圧縮楽曲データをＭＰ３プレーヤーに転送する。

■ＭＰ３プレーヤーの著作権侵害の問題

ＭＰ３プレーヤーが最初に登場した頃から、著作権侵害の懸念が指摘されたため、ＭＰ３プレーヤーには著作権保護（ＤＲＭ Digital Rights Management）機能が付いている。

個人が購入した音楽ＣＤの楽曲を自分のＭＰ３プレーヤーにコピーして再生することは許可する。しかし、ＭＰ３プレーヤー内に記録されている楽曲データを他人のＭＰ３プレーヤーに転送して複製することができないようになっている。

しかし、前述のパソコン上で音楽ＣＤから「リッピング」により楽曲データを抽出する過程で、無尽蔵に楽曲データを複製できてしまう。抽出された非圧縮の楽曲データは、音楽ＣＤと同等な品質をもち、パソコン上で劣化なしに複製ができる。

その後、登場するＣＤ－Ｒという記録メディアを使用すれば、音楽ＣＤと同等なメディアの複製もできてしまう。そのため、後述するように「リッピング」を禁止にするような仕組みも開発される。

しかし、たとえ「リッピング」ができなくても、音楽CDプレーヤーに付いているヘッドフォン出力のアナログ信号を、パソコンのオーディオ入力端子にケーブル接続して録音する方法がある。この状態で、パソコン側で録音ツールにより録音すれば非圧縮の楽曲ファイルを複製することは可能である。

この方法では、「リッピング」のようにデジタルの状態でコピーするわけではなく、一度アナログ信号に変換している。そのため、音楽CDに収録されている楽曲データに比べ若干の劣化を伴う。しかし、MP3圧縮に比較すれば圧倒的に原音に近い。

このように、CDプレーヤーはデジタルでの複製を禁止にしているが、アナログ経由で複製品が作られる問題は「アナログホール」と呼ばれ、抜本的な解決策はない。

MP3はネットでの楽曲転送を可能にした

前述のとおり、ブロードバンドが登場する前の電話回線を用いたインターネット環境で、音楽CDレベルの非圧縮楽曲ファイルをやりとりするのは困難であった。しかし、MP3

を用いることにより十分の一程度に圧縮できると、ストーミング配信は難しくても、ダウンロード配信、即ち楽曲ファイルをネット経由でやりとりすることは現実的になった。

例えば、友人にＭＰ３圧縮した楽曲ファイルをメール添付で送信し、友人が自分のＭＰ３プレーヤーに転送して楽しむことが可能になった。これが次章で述べる新規なネットワーク技術の開発を促し、著作権侵害の問題を益々拡大することになる。

ユーザには便利だが

P2Pファイル交換の功罪

第9章

1999年
（Napster登場）

P2Pファイル交換ソフト：ウィニー逮捕事件
［現状］未解決
↓P2P技術のブロックチェーンへの応用［第12章］
［第7章］↓
［第8章］↓

コンピュータの初期の利用形態

一九八二年に米国サン・マイクロシステムズ社（二〇一〇年に、オラクル社に吸収合併）を設立した、スコット・マクネリ氏の有名な格言に「The Network is the Computer.（ネットワークとはコンピュータである）」というのがある。

つまり、コンピュータはネットワークで構成され、ネットワークはコンピュータで構成されているという意味である。コンピュータとネットワークは切っても切れない縁がある。

前述のとおり私が大学三年の時に最初に触れたコンピュータは、日立の大型コンピュータであった。当時のコンピュータは非常に高価であったので「ホスト（コンピュータ）」と呼ばれ、エアコンがキンキンに効いた特別な部屋に鎮座されていた。

学生は五十台くらいの端末が並んだ別室から、この一台の大型コンピュータにアクセスする形態であった。この端末は、見かけは今日のデスクトップパソコンと似ているが、ディスプレイがブラウン管で奥行があり、入力デバイスとしてマウスがなくキーボードのみで、テキストの入出力しかできない。

「TSS（Time Sharing System）端末」と呼ばれ、プログラムやデータを入力したり、計算結果を表示したりする機能しかない。パソコンやスマホのように自前でCPUを備えていないため、入力したプログラムを実行させる場合は「ホスト」側で行う。

正確にはホストと通信するための最小限のCPUは備えているが、ユーザのプログラムを実行する能力はない。このように、端末側で自律して稼動できないので、「ダム端末」とも呼ばれる。

社会人になって最初の頃に、ミニコンピュータを使用していたが、利用形態は同じであった。このように初期のコンピュータは一台の「ホスト」に複数の「端末」がスター型にネットワーク接続した形態である。

前書②の最終章で述べたパソコン通信も、パソコンで端末エミュレータを動かし、電話回線を通じて「ホスト」に接続する形態で、パソコンを「ダム端末」化して動かしている。

コンピュータのスタンドアローン化

その後、大型のホストコンピュータのダウンサイジングが進み、「ダム端末」にホストと同等なCPU機能を1チップで実装したLSIが組み込み可能になった。並行して、ハードディスクの低価格化と小型化も進み、「ダム端末」に内蔵させることが可能になった。

そうすると、「端末」をホストコンピュータから切り離し、自律して稼動できるようになった。これは「ワークステーション」と呼ばれ、「ダム端末」に対して、種々の機能をもたせたので「ファット端末」とも呼ばれる。

前述のサン・マイクロシステムズ社は、この「ワークステーション」のトップメーカーであった。ただし、自律して稼働できる「ワークステーション」には難点があった。従来のように、隣で別の「ワークステーション」で仕事をしているユーザと、プログラムやデータを共有することが、容易ではなくなったのである。

そこで、「ワークステーション」にLAN（ローカル・エリア・ネットワーク）」の機能を実装し、隣接する「ワークステーション」同士をケーブル接続することにより、互いにデータをシェアしたり、電子メールで連絡をしたりといったことを可能にした。

この「ワークステーション」に対してさらなるダウンサイジングを進め、民生利用できるレベルに低価格化が進められたのが「パーソナルコンピュータ（パソコン）」である。

今日の標準：クライアント・サーバー型

前述のLANに別のエリアのLANを接続するWAN（ワイド・エリア・ネットワーク）や、LANをインターネットに接続することにより、ネットワークを拡張できる。そうすると、各ＬＡＮ内に初期の形態の「ホスト」に相当するネットワーク等の管理をするコンピュータが必要になった。

また、プログラムやデータを共有する場合、比較的処理能力が高く、ハードディスクの容量が大きいコンピュータを別途用意して集中管理する形態にすれば、各端末に要求される性能やコストを抑えることができる。

このように、通常の端末（ワークステーション）とは別にＬＡＮ内に設置された、ネットワークやデータの管理をする比較的処理能力の高いコンピュータは、「サーバー（サービスを提供する側）」と呼ばれる。これに対して、「サーバー」以外の各端末は「クライアント（サービスを受ける側）」と呼ばれる。

初期の形態の「ホスト」―「端末」の構成と異なる点は、「クライアント」の各端末は通常は自律して稼働できる。そして、必要な時だけ「サーバー」に接続してデータの提供などのサービスを受ける。

身近な「クライアント」端末としては携帯電話やスマートフォンがあり、例えば地図を表示させる場合は、サーバーにアクセスして地図データを取得する。

サーバーを用いた電子メールサービスの例

例えば、Aさんの端末からBさんの端末に電子メールを送信する場合、電子メール送受信ツール（sendmail）を用いて、直接送信することもできる。ただし、電子メールを送信する際に、Bさんの端末の電源がONになっていないとメールが届かない。といって、Bさんの端末の電源を常時ONにしておく運用も問題である。

そこで郵便局に相当するPOP（Post Office Protocol、正確にはPOP3）サーバーを別途用意する。その中にBさんのメールボックスを設置して、AさんはPOPサーバー宛てに電子メールを送信する方法をとる。そうすると、Aさんは自分の都合に合わせていつでもメールを送信することが可能になる。

これは、Bさんの最寄りの郵便局に私書箱を設置することに相当する。そうすると、Bさんは端末を使用している時に時々、POPサーバー内のメールボックスを確認し、メールが届いていれば、自分の端末にダウンロードすれば良い。

この形態では、POPサーバーは二十四時間稼働が原則になるが、サーバーがダウンしていたり保守中であったりという場合も発生する。そこで、送信側もメールを中継するSMTP（Simple Mail Transfer Protocol）サーバーというのを別途用意する。そうすると、

ＡさんはＡ端末からＳＭＴＰサーバー宛てにメールを送信することになり、この形態が現在の主流である。

これは、最寄りの郵便ポストにメールを投函することに相当する。ＳＭＴＰサーバーはＢさんのメールボックスが設置されているＰＯＰサーバーが稼働していれば、Ａさんから受け取ったメールを転送する。ＰＯＰサーバーが稼働していない場合は転送を保留にして、一定時間後にメール転送を再度試みる。

このＳＭＴＰサーバーの導入によりメール送信がいつでも確実に行えるようになり、今日でも使用されているが、負の側面もある。それは、メールを送信する際、どこかのＳＭＴＰサーバーを経由して、差出人名を詐称することが可能になった点である。即ち、送信者名を偽装して迷惑メールや標的型メールを出すことが可能になった。

クラサバ型の欠点

前述のクライアント・サーバー型（略称：クラサバ）が現在のコンピュータネットワークの主流だが、サーバーがダウンすると全てのクライアントがサービスを受けられなくなるという弱点がある。また、多数のクライアントから単一のサーバーへのアクセスが集中すると、レスポンスが悪くなるという欠点がある。

後者については、サーバーの処理能力を随時変更できる仮想化サーバーにし、レスポンスが悪い場合は、一時的にサーバーの処理能力を向上させることが可能になった。これが、最近流行しているクラウドコンピューティングである。クラウドも基本的にはクラサバ型である。

ここで、前章で述べた圧縮音楽ファイルを多くの人々に配布するシステムを考える。各楽曲ファイルについて正規の手順で著作権処理がなされていれば、サーバーにアップロードして各ユーザに有償でダウンロードさせればよい。この方法により「着メロ」や「着うた」などが販売されてきた。

本章の主題「P2P」と「Napster」の衝撃

これに対して、仲間同士で各人が購入した楽曲ファイルを物々交換することにより、自動的に配布が行えるシステムが考案された。従来のモノの物々交換と異なる点は、相手に楽曲ファイルを渡してもコピーが渡されるため、自分の手元に楽曲ファイルがそのまま残る点が著作権法上、大問題なのである。

一九九九年に最初にショーン・ファニングにより開発されリリースされたのが、「Napster」である。

例えば、Aさんが楽曲ファイルAを持っていて、Bさんが楽曲ファイルBを持っているとする。楽曲ファイルAを持っていないBさんはAさんの端末からダウンロードでき、楽曲ファイルBを持っていないAさんはBさんの端末からダウンロードできる。

双方のダウンロードが実行されると、楽曲ファイルAはAさんとBさんの双方の端末に存在するので、楽曲ファイルAを持っていないCさんはAさんまたはBさんのいずれかの端末からもダウンロードできるようになる。

掲示板を立てることにより、ある楽曲ファイルがどの端末に存在するかがわかるようにしておく。ユーザは希望する楽曲ファイルを検索すれば、その楽曲を保有している候補端末がわかる。

そして、希望する楽曲ファイルを電源がONになっている候補端末からダウンロードできる。ダウンロード終了後は自分の端末も、ダウンロードしたファイルを別の希望者に提供するサーバーの役割を自動的に担う。

サーバーがなく、見かけ上は仲間同士で一対一のファイル交換をしているだけである。ユーザの端末をネットワークに接続するだけでシステムを拡大でき、ユーザ数がいくら増えても、アクセス集中が起こってシステムの応答性が悪くなる心配はない。

クラサバ型に対するP2Pの利点

例えばクラサバ型で、サーバーが楽曲ファイルAを保管し、一万ユーザがダウンロードしようとすると、サーバーにアクセス集中が起こり、円滑にダウンロードが進まない。

しかし、このファイル交換の仕組みを用いて、ある端末Aに楽曲ファイルAが保管されているとする。ここで、新たに一万ユーザがダウンロードしようとすると、最初のユーザBは端末Aからダウンロードして端末Bにも楽曲ファイルAが保管される。

これにより、次のユーザCとユーザDは、各々端末Aと端末Bから一対一でダウンロードできる。そうすると、楽曲ファイルAは端末A、端末B、端末C、端末Dに保管され、四台の端末から提供可能になる。このように、楽曲ファイルAを提供できるサーバーが倍々ゲームで増え、あっという間に一万ユーザに行き渡る。

常に個別の端末から端末への一対一のファイル転送になり、アクセス集中が起こらない。たとえ個々の端末の処理能力が低くても、円滑にダウンロードが進む。

クラサバ型に対するＰ２Ｐの耐障害性

クラサバ型ではサーバーが故障したり、サーバーを接続しているネットワークがダウンしたりするとダウンロードサービスが停止してしまう。

しかし、このファイル交換の仕組みでは、いくつかの端末が故障したり、ネットワークがダウンしたりしても、ファイル交換サービスは継続して稼働できる。

前述のサーバーから楽曲ファイルを配布する方法より、結構大規模なファイル交換を安価に安定して行うことができる。このようにネットワークで端末同士が対等にやりとりする仕組みはＰ２Ｐ（Peer to Peer　Peer は対等な者という意味）と呼ばれる。

ちなみに、通信分野でＰＰＰ（Point-to-Point Protocol）という紛らわしい用語があり、これは二台の機器の間で仮想的な専用の伝送路を確立するという意味である。インターネットで通信をする場合も、この仕組みを使用することが多い。

ただ、「Napster」のシステムは著作権侵害であることは明らかなので、アメリカレコード協会（ＲＩＡＡ）に訴えられ二〇〇一年にサービス停止に追い込まれた。

「Winny」事件

日本では、天才プログラマーの金子勇氏が二〇〇二年に「Winny」というP2Pシステムを開発し、インターネット掲示板群「2ちゃんねる」で無償公開した。

このシステムは、楽曲ファイルだけでなくコンピュータウイルスを拡散させるというサイバー攻撃にも悪用された。そのため、著作権侵害の問題にとどまらず、大きな社会問題に発展した。

「Winny」をインストールすると、ダウンロードしたコンピュータウイルスを含む各種ファイルが公開状態になる。無意識のうちに、第三者にウイルスを拡散させるので、サイバー犯罪の加害者にされる。

また、「Antinny」という「Winny」向けコンピューターウイルスが開発された。これに感染すると、パソコン内の個人情報等が公開フォルダに自動的にアップロードされ、ネットで漏洩してしまうという問題も発生した。

開発者の金子勇氏は二〇〇三年に逮捕されたため、「Winny」のセキュリティ対策などの改良も進まなかった。しかし、「Winny」のユーザは増加し続け、公的機関で職員が業務用パソコンにインストールすることにより機密情報が漏洩する事件も多発した。

逮捕された金子勇氏に対しては、情報処理学会等のＩＴ関係者が不当であることを訴えたこともあり、二〇一一年に最高裁で無罪判決を受けた。

この逮捕事件は、Windows パソコンを用いて楽曲ファイルの違法コピーが行われた、あるいは、Windows OSの欠陥を狙って新種のウイルスが拡散されたという理由により、Windows OSを開発した、マイクロソフトの技術者を犯罪幇助で逮捕するようなものである。

無罪判決にはなったものの、この逮捕事件に伴う損失は大きかった。「Winny」の改良は中止になり、金子勇氏は心労が重なったこともあり急性心筋梗塞により、二〇一三年に四十二歳の若さで他界してしまった。日本のＩＴ分野での最大の過ちの一つといえる。

一方、米国ではＰ2Ｐを活用してインターネットビデオ通話サービス「スカイプ」が開発され、Ｐ2Ｐ分野で莫大な利益を上げている。この技術は、「Ｚｏｏｍ」社等のビデオ会議システムに活かされ、コロナ禍において全世界で不可欠なシステムになったことは周知のとおりである。

ユーザには便利だが

USBメモリの功罪

第10章

2000年
(USBメモリ国内初販売)

ポケットに入る大容量記録媒体：USBフラッシュメモリ
[現状] 未解決
↓CD－Rによる海賊版CDの作成 [第11章]
[第3章] ↓
[第7章] ↓
[第8章] ↓

HDDのクラッシュによる損失

私がコンピュータを使用し始めた大学三年生の頃から、コンピュータを構成する記憶媒体は、容量やアクセス速度が増大し、価格が低下したことを除けば、基本的にほとんど変化していない。

例えば、主記憶を構成する半導体メモリや補助記憶を構成するハードディスクHDDなどは革新的な進化をしていない。これに対して本章の主題であるUSBメモリなど可搬型記憶媒体は顕著な変化・進化を遂げてきた。

コンピュータで作業している間は、HDDにデータを保存するのが通常である。HDDにはモーターが内蔵されており、複数枚が重なったディスクを回転させる。そして、磁気ヘッドをディスク表面に接近させて、データの記録や読み出しを行っている。そのため、コンピュータの部品の中で最もデリケートで壊れやすい。

HDDが復旧不能なレベルに壊れることはクラッシュと呼ばれる。ただ、当時は今日のノートパソコンのように、稼働中にコンピュータを移動させることはないので、HDDに衝撃を与えてクラッシュを引き起こすことはほとんどなかった。

しかし、第2章でも述べたように、昭和の時代は商用電源が安定しておらず、会社（特に工場）や自宅で停電や瞬電（電圧が一瞬だけ下がること）が時々発生した。

瞬電が起こると、ＨＤＤ内の磁気ヘッドがディスク表面に衝突し（普段は、磁気ヘッドは浮上している）、そのままディスクが惰性で回転を継続するとディスク表面をこすって傷を付けてしまう。そうすると、その箇所に記録されていたデータは読み出せなくなる。

私の場合、自宅では経験がないが、工場内のオフィスでコンピュータを使用している際に瞬電が起こり、ＨＤＤに損傷が起こりクラッシュする事故を幾度か経験したことがある。

ＨＤＤの部分的な損傷であれば、コンピュータを再起動すれば、復旧することもあるが、一部のデータが壊れていることを覚悟しなくてはならない。

ＨＤＤがクラッシュした場合は、ＨＤＤを交換しなければコンピュータは再起動できない。当然、ＨＤＤに記録されていた全てのデータは諦めるしかなくなる。

特に問題なのは、プログラムや文書など、人が長時間を費やして打ち込んだテキストデータである。これらが壊れると再入力を強いられるので、ＨＤＤの交換に伴う費用とは比べ物にならないくらいの損失になる。

ＨＤＤのバックアップの重要性

　このような失敗を一度でも経験すると、自分が打ち込んだプログラムや文書など、重要度の高いデータは、定期的に可搬型記録媒体にバックアップする習慣が身に付く。

　併せて、万が一の再入力に備えて、随時プリンター出力を行いハードコピー形態でも保管する。現状でも最も安価で信頼性が高い記録媒体は紙である。

　ちなみに、現在パソコンで打ち込んでいる、この原稿データは、毎晩、二種以上の記憶媒体にバックアップをとっており、万が一、パソコンやＨＤＤが壊れても、前日の状態に復旧できるようにしている。

　また、停電や瞬電対策として、コンピュータを商用電源に直接接続せず、無停電電源装置（ＵＰＳ　Uninterruptible Power Supply）を仲介させればよい。また、ノートパソコンを使用すれば、内蔵バッテリーがＵＰＳの機能を果たしてくれるので安全である。そのため、私は自宅ではノートパソコンを使用するようにしている。

可搬型記録媒体の変遷：テープからＭＯ

今日のように高速なネットワークを使用できる環境でない場合、可搬型記録媒体は必須であった。これは、コンピュータのＨＤＤ内のデータのバックアップをとったり、別のコンピュータにデータを移したり、プログラムのインストールを行ったりする際に使用される。

コンピュータを使い始めた一九八〇年代では可搬型記録媒体として、業務用ではオープンリール式磁気テープＭＴと8インチのフロッピーディスクＦＤが、家庭ではオーディオカセットが使用された。ＦＤについては、5インチ、3・5インチと小型化・高密度化・低価格化が進んだ。

3・5インチＦＤが民生レベルの価格帯になると、私も自宅のパソコン向けにドライブ装置を購入した。ＦＤはいずれのサイズでも1メガバイトしか記録できないが、プログラムや文書など自分が入力したテキストファイルを保存するには十分な容量であった。

その後、コンピュータで写真などの静止画を扱えるようになると、ＦＤでは容量不足で、もう少し大容量のメディアが望まれるようになった。業務用では「ストリーミングテープ」と呼ばれたカセット型の磁気テープも使用されるようになったが、革命的だったのは光磁気ディスクＭＯである。

当時、業務用・民生用を問わず、ＣＤなどレーザで記録する光ディスクは使用されていた。光ディスクは物理的に表面に微細な凹凸を施すもので、ＣＤにデータを記録するには高価な装置が必要で、メーカーでないと行えなかった。さらに、当時の光ディスクは追記型で削除や上書きができなかった。

書き換えができる光磁気ディスクＭＯ

これに対して、ＭＯは、光ディスクにＦＤと同様に磁気で記録するメディアである。ＣＤレベルの記憶容量をもちながら、ＦＤと同様に書き換えが可能になった。一九九〇年初めに業務用に5インチのＭＯドライブ装置が販売され、百万円に近い高価な装置ではあったがヒットした。記録容量は６４０メガバイトあった。

その後、3・5インチのＭＯが販売され、個人の消費者にも手が届くレベルになった。私も、一九九七年に自宅のパソコン向けに3・5インチのＭＯドライブ装置を購入した。購入時の記録容量は１２８メガバイトであったが、その後６４０メガバイトまで記録密度が向上した。

また、ソニーは光磁気ディスクを用いて、オーディオカセットのように音楽データをデジタルで記録再生できる「ＭＤ（Mini Disc）」を製品化した。「ＡＴＲＡＣ」と呼ばれる独自の圧縮技術を開発し、径がＣＤの半分のサイズで八十分の音楽を記録できた。「ＭＤウォークマン」という携帯音楽プレーヤーも開発し普及した。ＣＤウォークマンよりコンパクトで、初代のカセットテープ型ウォークマンと同様に、自分好みの音楽アルバムを作成でき、音楽を持ち歩けるようになった。

可搬型記録媒体の変遷：ＭＯからＣＤ－Ｒ

一方、同時期に太陽誘電がＣＤ－Ｒを開発し、ＭＯとの競争になった。そして、一九九〇年代の末頃からパソコンにＣＤ－Ｒに対応したＣＤドライブが実装されるようになった。

当初、ＣＤの読み書き速度は音楽ＣＤと同じで、６４０メガバイトの一枚を読み書きするのに七十四分を要した。しかし、データモードで読み書きする場合は、音楽の再生時間に制約されないので、年を追うごとに倍速、四倍速、八倍速というペースで、記録再生速度が向上していった。

ＣＤ－Ｒは追記型と呼ばれ一度記録すると上書きや消去ができない。そこでＣＤメディアに対しても、ＭＯと同様に、書き換え可能な、ＣＤ－ＲＷ、ＣＤ－ＲＡＭなどのメディアが開発された。しかし、ＣＤ－Ｒの低価格化が劇的に進むと、書き換え可能な機能の魅力は薄れるとともに、ＭＯもユーザ離れが進んだ。

可搬型超小型記録媒体ＵＳＢの登場

ちょうど、この頃、パソコンにＵＳＢインタフェースが導入され、これまでキーボード、マウス、プリンターなど各々専用に開発されていたインタフェースがＵＳＢに統一化されてきた。

併せて、第8章で述べた半導体オーディオプレーヤーにも採用されたフラッシュメモリの技術開発が進んだ。そんな矢先、二〇〇〇年に、シンガポールの Trek2000 International 社が「Thumb Drive」と呼ばれる親指大の半導体ドライブを開発した。これがＵＳＢメモリの第一号である。

これはＵＳＢタイプＡコネクタの取っ手部にフラッシュメモリを付けた拡張型コネクタの形態である。電源はパソコン本体から給電できるため内蔵不要で、パソコンに挿すと、二台目のＨＤＤが接続されたかのように認識される。そして、内蔵ＨＤＤとの間で相互にファイルを転送できる。

その後、多くのメーカーがＵＳＢメモリの開発に参入すると、さらなる小型化、大容量化と低価格化が一気に進み、ＣＤ－Ｒと競合できるレベルになった。

ＣＤの場合は、百部以下の小ロットの配布ではＣＤ－Ｒで対応し、それを超える場合は、ＬＰレコードと同様にマスター盤を製造した上で、プレスで大量複製する方法をとれる。

これは、版を作らないオンデマンド印刷で対応するか、版を作ってオフセット印刷で対応するかと同様な手法である。そのため、ＵＳＢメモリで配布するよりＣＤはコスト面で優位性があった。

それでもＵＳＢメモリの低価格化が止まらず、最近では千人を超える学会の参加者に、電子版の論文集を従来のＣＤ－ＲＯＭに代わりＵＳＢメモリで配布する事例が増えてきた。

ＵＳＢメモリ普及による諸問題

ＵＳＢメモリの普及に伴いさらなる小型化・大容量化・低価格化が進むとともに、筐体のデザインも多様化した。メモリ機能をＵＳＢ扇風機に内蔵させた形態やぬいぐるみに内蔵させた形態も登場し、見かけではＵＳＢメモリであると認識することが難しい形態のものも増えてきた。

そうすると、企業においてＵＳＢメモリを用いた個人情報等の持ち出し、紛失、漏洩などの事件が増加した。これに対して、メーカー側はＵＳＢメモリに暗号化機能を搭載する、企業側は従業員のパソコンのＵＳＢ出力を制限するなどの対応がなされた。

それでも個人情報流出事件は後を絶たなかった。例えば、パソコンのＵＳＢ出力を禁止しても、スマートフォンを接続するとＵＳＢメモリと認識されないため、データの書き出しができてしまう。この抜け穴を活用し、スマホにデータの書き出しを行う方法をとり、大規模な個人情報流出事件が起きてしまった。

ウイルス拡散にも使用される

また、第7章でも述べたが、ＵＳＢメモリには挿し込み操作とともにプログラムを自動実行させる機能があり、これにウイルスが仕掛けられるようになった。

コロナ禍により在宅勤務が増えてきたが、コロナ禍の前から、在宅勤務により自宅のパソコン内のウイルスを会社に蔓延させる事件が時々起こっていた。

在宅勤務を行うため、会社のパソコンから自宅のパソコンにＵＳＢメモリで業務文書を持ち出す。そして、自宅で更新した文書を会社のパソコンにＵＳＢメモリで戻す際に、自宅のパソコンのウイルスも一緒に会社に持ち込んでしまう。さらに、会社で同じＬＡＮに接続されている同僚のパソコンにも感染させてしまうという事件を結構耳にした。

ＵＳＢメモリの他の活用法

ＵＳＢメモリは、前述のようなデータの保存だけでなく、商用パソコンソフトの違法コピー対策というセキュリティ対策としても使用されることがある。

「ＵＳＢドングル」と呼ばれる、あらかじめライセンスキーが記録されているＵＳＢメモリを用いる。インストールしたパソコンソフトを起動する際に、「ＵＳＢドングル」にアクセスし認証を行うようになっている。たとえ、パソコンソフトがインストールされていても「ＵＳＢドングル」がなければ起動されないので、違法コピー対策になる。ただし、「ＵＳＢドングル」の違法コピー製品も作られてしまうという問題も発生した。

クラウドストレージによる代替

最近では、家庭にもブロードバンドのネットワークが普及し、無償で利用できるクラウドストレージも増えてきた。そのため、ＵＳＢメモリなど可搬型記録媒体を使用せずに、オンラインで大容量のデータのやりとりが可能になった。

一方、コロナ禍で出勤できず、会社のパソコンに触ることができない社員も増えてきた。そのため、会社と自宅間でＵＳＢメモリによりデータのやりとりを行うことが難しくなった。この環境で、リモートワークを進めるには、クラウドストレージで対応せざるを得なくなったが、ＵＳＢメモリを使用するよりかえって安全かもしれない。

ユーザには迷惑

迷惑なコピーガード

第11章

2000年
(JASRAC/STEP2000提案)

著作権管理の行き過ぎ:リッピング禁止CDと
ダビング妨害ビデオ信号

[現状] 未解決

→スクリーンキャプチャの抑止 [第14章]

[第8章] →

[第10章] →

アナログのビデオの登場に伴う諸問題

一九七六年に日本ビクターがＶＨＳの家庭用ビデオデッキを開発した時、映画の興行収入が減るという懸念から、米国より反発を受けた。一方、日本では録画視聴の早送り機能によりテレビＣＭがスキップされるという懸念から反発を受けた。

特に、ビデオデッキの早送り機能にシーン検出技術を導入し、ＣＭと本編を識別してＣＭを自動的にカットして再生することが可能なデッキまで登場し、この問題に輪をかけた。オーディオカセットやビデオカセットは、デッキを二台接続すればダビングが可能である。しかし、アナログメディアの場合は、ダビングをすると品質が劣化するため、あまり問題視されていなかった。

それでも市販のＶＨＳの映像ソフトをダビングした海賊版ビデオが制作・販売されるようになった。そこで、マクロビジョン社はＶＨＳ向けにコピーガード技術を開発し、商用のＶＨＳソフトに導入されるようになった。

これは、ビデオデッキの録画系に搭載されているＡＧＣ（Automatic Gain Control）と呼ばれる自動輝度調整を誤作動させる信号を意図的に加えることにより、録画を妨害する。例えば、輝度信号が高いように見せかける擬似信号を加えることにより、ＡＧＣに輝度を下げる処理をさせる。

このような加工がなされたビデオソフトであっても、ビデオデッキで単純に再生するだけであれば、ＡＧＣが働かないので問題なく再生される。しかし、別のビデオデッキにダビングしようとすると、録画を行っている方のビデオデッキのＡＧＣが誤動作し、輝度が暗くなり同期がとれずに画面が乱れてしまう。

マクロビジョン仕様のＶＨＳを使用した経験はないが、業務用のアナログのハイビジョン出力をサポートする海外製の画像処理装置で似たような体験をしたことがある。

この画像処理装置に国産のハイビジョン・ディスプレイを接続すると問題なく表示される。しかし、ソニー製のハイビジョン・オープンリール式ＶＴＲを接続して録画しようとすると、同期がとれず、まともに録画ができなかった。

これは、海外製の画像処理装置の出力信号の仕様が日本のハイビジョンの仕様と微妙にずれていることが原因であった。ただし、このミスマッチはマクロビジョン社のように意図的に行われたものではない。

デジタル音楽CDの海賊版対策

第8章で述べたように、音楽コンテンツがデジタル化されてCDに収録して流通されるとともに、第10章で述べたCD－Rなどの安価な記録メディアが登場した。そうすると、正規版と相違がない同品質の海賊版CDが制作可能になった。

対策としては、CDプレーヤーやCDレコーダにデジタルの入出力端子を実装しなければ、デジタルによるダビングは阻止できる。ただし、パソコンを用いるとダビングができてしまう。

パソコンにCDのデータの読み書きが行えるように、CDドライブが付いていることが問題である。パソコン用のCDドライブでは音楽CDの再生も可能で、その後CD－Rへの書き込み機能が追加されるようになった。そうすると、音楽CDの制作も可能になった。特に、問題視されているのが、第8章で述べた「リッピング」というソフトウェアツールである。音楽CDに記録されている音楽データをデジタルの状態でパソコンのHDDに吸い上げることが可能である。

このように吸い上げた音楽データをパソコン上でCD－Rに書き込めば、正規版の音楽CDと瓜二つの海賊版CDを制作できる。特にCD－R媒体の価格が急降下してCD制作のコストが下がったため、海賊版ＣＤの制作を助長した。

「CCCD」によるリッピング対策

そこで、日本音楽著作権協会（ＪＡＳＲＡＣ）は二〇〇〇年に「ＣＣＣＤ（Copy Control CD）」というコピーガード付きのＣＤ制作を業界に提案した。これはＣＤのエラー訂正機能を逆手にとった手法である。

ＣＤに限らず、ＨＤＤや半導体メモリなどの記憶媒体にはハードウェアのノイズ等に起因するビット反転エラーを自動的に訂正する機能が付いている。

書き込み時にはデータに加えてエラー訂正コードを書き込む。そして、読み込み時にデータとエラー訂正コードを一緒に読み込んで確認すれば、ビット反転を起こしたビットを特定して自動訂正できる。

マイナンバーにおけるエラー検出コード

例えば、マイナンバーは11桁の個人識別番号であるが、カードには12桁が記載されている。末尾の数字はチェックディジットと呼ばれ、11桁の数字の総和を基に計算した1桁の数値である。

簡単な方法としては、11桁の数字の総和値の下1桁の値を用いるチェックサムがある。しかし、マイナンバーでは、もう少し複雑な計算方法をとっている。

11桁の各数字に対して、上位桁から順に、6・5・4・3・2・7・6・5・4・3・2の値を乗算した上で総和を算出する。続いて、総和値を11で割った余りを計算する。余りが0または1の場合は0を、それ以外の場合は、11から余りを引いた値をチェックディジットに設定する。

12桁の数字を読み込んだ時、11桁の数字を基に算出したチェックディジットと12桁目の数字を照合し、一致しなければ、12桁の数字のどこかに誤りがあることがわかる。即ち、末尾の1桁はエラー検出コードになっている。

CDのエラー訂正コードの改ざん

追加する末尾の桁数を増やすと、どの桁がどのように間違っているかまで推定し自動訂正可能になる。このような機能までもたせたものはエラー訂正コードと呼ばれる。

「ＣＣＤ」は、このエラー訂正コードを改ざんしてＣＤに書き込むようにしたものである。通常の音楽ＣＤプレーヤーで「ＣＣＤ」仕様のメディアを再生すると、自動訂正できない深刻なビットエラーが発生した状態で音楽再生が継続される。ただし、このエラーは嘘で再生される音楽に問題はない。

一方、パソコンの「リッピング」ツールでこのＣＤのデータを読み込もうとすると、同様に自動訂正できない深刻なビットエラーが発生する。この場合、「リッピング」ツールはメディアが壊れていると勘違いして、「リッピング」処理を中止してしまう。

性能の良い音楽ＣＤプレーヤーの中には、「リッピング」ツールと同様にメディアが壊れていると誤判断する製品もあり、再生が停止する事例が発生した。

私自身も自宅のＣＤラジカセで、正規品の音楽ＣＤソフトであるのに再生ができない媒体があることを経験したことがあった。その場合、なぜかパソコンのＣＤドライブでは正常に再生できた（もちろん、「リッピング」はできないが）。

このような問題から、音楽ソフトを制作するメーカーは続々と「ＣＣＤ」仕様の採用を中止にした。そのため、音楽ＣＤに対しては、「リッピング」は黙認され、違法コピー対策は基本的に解除され現在に至っている。ただし、ＣＤ－Ｒのドライブ機器やメディアの購入時に、私的録音録画補償金が徴収されている。

映像ソフトのデジタル化に伴う海賊版対策

映像ソフトもデジタル化され、音楽ＣＤと同様に、ＤＶＤやＢＤというパッケージメディアで流通されるとともに、ＤＶＤ－Ｒ、ＢＤ－Ｒなどの記録メディアが開発された。現在は放送されていないが、走査線五百二十五本のアナログＮＴＳＣ方式の映像をデジタル記録する方式として、DVD-Videoがはじめに提案されている。

ＤＶＤドライブは早くからパソコンにも搭載され、ＣＤと同様にＤＶＤ向けの「リッピング」ツールも開発された。

ちなみに、ＤＶＤはDigital Versatile Disc（デジタル多用途〈多目的〉ディスク）の略で、映像記録だけでなくＣＤを上回る４・７ギガバイトの大容量のデジタルデータ一般を保存する目的に開発されたものである。

DVD-Videoについては「リッピング」を阻止する機能が付いていることが多い。しかし、「リッピング」阻止機能を解除するフリーの闇ツールも数多く開発され、実質的には「リッピング」できてしまう。

また、たとえ「リッピング」ができなくても、アナログ経由でＤＶＤのダビングは可能である。そのため、前述のＶＨＳ向けのコピーガード機能を開発したマクロビジョン社は同様なコピーガード機能をDVD-Video向けにも開発している。

放送のデジタル化に伴う海賊版対策

二〇一一年にアナログ地上テレビ放送が停波され、放送もデジタル化された。デジタル放送の場合は放送局から送信される映像コンテンツと同品質の映像データがデジタルの状態でＨＤＤやＤＶＤに記録することが可能である。

そのため、DVD-Videoとは異なるデジタルのコピー制御機能が施された、ＤＶＤ－ＣＰＲＭと呼ばれる方式でＤＶＤに記録される。デジタル放送をＨＤＤに録画して、ＤＶＤにダビングすると、当初は、ＨＤＤに記録されているソースの番組映像ファイルは削除されるようになっていた。

これは「コピーワンス」と呼ばれる規格である。この方式では、ＤＶＤへのダビングに失敗するとＨＤＤのファイルが消えてしまうため、ダビングをやり直せないという問題が浮上した。

そこで、「ダビング10」という規格に改められ現在に至っている。即ち、九枚までＨＤＤからＤＶＤにコピーでき、十枚目をコピーした段階で、ＨＤＤ内の番組映像ファイルは削除されるようになっている。即ち、九回までならダビングに失敗してもやり直しができる。

電子透かし技術を用いた著作権保護

「透かし」とはお札の偽造防止に使用されている模様であるが、「電子透かし」とは音楽や映像コンテンツの中に知覚できない識別データを隠して埋め込む技術である。

前述のとおり、現在、音楽CDにはコピーガード機能が付いていない。そこで、音楽CDに収録されている音楽信号内に、聴取できない識別データを埋め込んでおく。

この状態で音楽CDから楽曲データを「リッピング」し、MP3圧縮をかけて、Webサイトや第9章で述べたP2Pの仕組みを用いて配布したとする。拡散された楽曲データを解析して埋め込まれている電子透かしを抽出できれば、音楽CDから違法コピーされたものであることを証明できる。

難点は、楽曲データに「電子透かし」という一種の雑音を埋め込むことにより、少なからず品質劣化を伴うことである。さらに、楽曲データにデジタル圧縮などの加工が施されたとしても、「電子透かし」を高精度に抽出できるように耐性をもたせる必要がある。

前述の、日本音楽著作権協会（ＪＡＳＲＡＣ）は二〇〇〇年に、「STEP2000」という音楽電子透かしの基準を設定し、いくつかの大学やメーカーと共同で実証実験を行っている。その後も改良開発が進められているが、実用化には至っていない。

特に、ハイレゾオーディオなど単価が高い音楽コンテンツでは著作権保護機能が重要になる。しかし、品質をより重視するハイレゾに対して、品質劣化を伴う「電子透かし」が、果たして音楽業界に受け入れられるか。また、「電子透かし」は違法コピーの証拠を提示するだけで、違法コピーの行為そのものを阻止できないのも難点である。

ただ、二〇二二年十一月より公開されたチャットＧＰＴを筆頭に各種生成ＡＩツールの登場により、文章・画像・音楽など各種のコンテンツが自動生成可能になった。これに伴い、悪意のあるフェイク画像が蔓延するようになった。そこで、人間が作成した画像と、ＡＩにより生成された画像を判別できるように、後者に対しては、電子透かしの埋め込みを義務付けるよう検討が進められている。

計算機の無駄遣い

マイニングという無意味な計算

マイニングにおけるPoW：スーパーコンを用いた
無意味な計算

［現状］未解決
→NFTの仮想空間での売買［第13章］
→NFT電子書籍［第14章］

［第6章］→
［第7章］→
［第9章］→

第12章

2008年
（Bitcoin論文公開）

脆弱な単一障害点を持つ銀行システム

本章は本書で最も強調したい、今世紀で最も革新的といえるＩＴに関する話題である。これまで第11章までに述べてきた話題は、その前座であると考えてもらっても良い。まず種々のデータベースの中で我々に最も身近なのものとして、銀行口座を題材に取り上げる。顧客の銀行口座を管理しているコンピュータはセキュリティに対して膨大なお金を投入して稼働させている。

そのため、口座間の取引の手数料が普通預金の金利に比べてもやたらと高額である。それでも口座の運営費がまかなえず、普通預金の金利をマイナスにして、口座管理料を徴収しようという話まで出ている。

しかし、口座のデータが内部の関係者により改ざんされたり、何度もシステム障害を繰り返す大手都市銀行があったりと、金をかけている割には、データベースシステムが脆弱である。

銀行のコンピュータは基本的に中央で集中管理されているため、そのコンピュータが故障すればシステム障害が発生するリスクがある（専門用語で、「単一障害点がある」と呼ばれる）。

また、その上で稼働しているデータベースについては、たとえ外部の人間ではアクセスが困難であっても、内部の人間であれば、その気になれば改ざんなどが行え、実際に、そのような事件も起きている。

ビットコインと理想的なデータベースの提案

こんな最中、二〇〇八年にナカモトサトシと名乗る匿名の研究者が「Bitcoin: A Peer-to-Peer Electronic Cash System」という表題で「ビットコイン」に関する論文をネットで発表した。ちょうど、リーマンショックで全世界が揺さぶられた時期であった。

この論文は、学会などで査読が行われて正式に発行されたものではないため、内容についての信頼性は保証されていない。その代わりに、本論文に基づき「ビットコイン」を実際に取引できるように、著者が開発した「ブロックチェーン」というデータベースシステムが併せて公開されている。

このシステムは論文の表題にもあるように、第9章で述べた「P2P」を採用している。分散型台帳とも呼ばれ、二〇〇九年に稼働してから今日までの全ての「ビットコイン」の取引が、本台帳に記録されている。

この台帳は、「ビットコイン」のネットワークに参加している全世界のコンピュータ同士でコピーを繰り返して、共有されアップデートされる。この仕組みは、第9章で述べた「Winny」により楽曲データが参加者同士でコピー配布が繰り返され、全員で共有されるのと基本的に同じである。

この分散型台帳は三段階の整合性をもたせる必要があることから改ざんを困難にしている。

例えば、参加者の一人が、自分が過去に実行した支払いの取引をチャラにして残高を増やそうと改ざんを試みるとする。この場合、改ざんの整合性をもたせるため、自分のコンピュータ上にある取引台帳だけでなく、全世界に配布された取引台帳の全てを書き換えなくてはいけない。これは第一の整合性（前記三段階の整合性の中では第三段階に相当）である。

また、ビットコインのネットワークに参加している、いくつかのコンピュータが故障したり、いくつかの拠点でネットワークがダウンしたりしても、残りのコンピュータやネットワークの迂回により正常稼働を継続できる。即ち、局所的なダウンがいくつか発生しても、システム全体への影響は基本的にない（専門用語で、「単一障害点がない」と呼ばれる）。

事実、二〇〇九年にナカモトサトシ氏が最初にビットコインを発掘（50ＢＴＣ、約三億円確保）して取引を開始してから現在まで、データベースの改ざんやシステム障害は一度も発生していない。

その間、マウントゴックス事件などビットコイン取引所などで横領事件はいくつか発生しているが、バックボーンのビットコインのネットワークは正常に稼働を続けている。

ところで、匿名著者のナカモトサトシ氏は自分が開発したシステムで、最初にビットコインを採掘してから、一度も使用された形跡がない。もし生存していれば、マウントゴックス事件等の際に何等かの声を上げるはずである。そのため、この著者は、もはや生存されていないのではないかという疑惑がもたれている。

また、「P2P」を活用したシステム提案に関する論文の内容から「Winny」の開発者（金子勇氏）と人物像が酷似している。今となっては確認の手段がないが、ナカモトサトシ＝金子勇とすると納得がゆく部分が多いと言われている。

ブロックチェーンを理解する基盤技術：ハッシュ値

第8章で「MP3」という音楽圧縮技術について述べた。データ圧縮手法には、元に復元できる「可逆圧縮」と、元に戻せず品質劣化を伴う「非可逆圧縮」の二通りがあり、「M

Ｐ３」は後者のタイプである。

元に戻せない「非可逆圧縮」の極端な方法として、与えられたデータを「ハッシュ値」と呼ばれる固定の桁数の識別番号に圧縮・変換する手法も用いられる。

変換にはハッシュ関数が使用されるが、逆変換はできず（一方向関数とも呼ばれる）、識別番号から元のデータには絶対に戻せない点で「非可逆圧縮」方式のデータ圧縮とは異なる。尚、ビットコインでは、「SHA2-256」というハッシュ関数が使用されている。

データ圧縮の場合は､元のデータのサイズにより圧縮データのサイズも変わる。しかし、ハッシュ値の場合は、元のデータのサイズに拘わらず、同じハッシュ関数を使用している限り同一の桁数の識別番号に変換される。たとえ、元のデータのサイズが出力される識別番号のデータサイズより小さくても、同一の桁数の識別番号に変換される。即ち、圧縮ではなく伸張されることもある。

また、データ圧縮の場合は、元のデータＡとデータＢとの間で一部が異なるだけだと、圧縮された両者のデータにはあまり差が生じないことが多い。

これに対して、元のデータＡに対して変換されたハッシュ値と、元のデータＡに対してわずかに改ざんされたデータＢに対して変換されたハッシュ値とでは、顕著な差が生じる特徴がある。

過去のブロックの改ざんが困難な理由

前述のとおり、ブロックチェーンは改ざんやシステム障害とは無縁な理想的なデータベースを構築できる。そのため、現在では、ビットコインの取引に限らず、様々な仮想通貨（暗号資産）やスマートコントラクト（自動的な契約履行）、後述するＮＦＴ（非代替性トークン）の取引にも活用されている。ただし、本節では「ビットコイン」に限定してブロックチェーンの仕組みを説明する。

ビットコインのブロックチェーンは、平均十分間分（ブロックによりバラツキが結構ある）の取引データを、１メガバイトのブロックに収納させ、この取引データのブロックを時系列に鎖状に連結させたものである。各ブロックに収納される取引データは、「Ａさんの口座番号（ビットコイン・アドレス）からＢさんの口座番号に＊＊ＢＴＣ送金する」といった内容である。

銀行の口座番号と異なり、原則として、ビットコイン・アドレスから所有者を特定できないため、現金と同様に取引の匿名性が担保される（ただし、取引所や販売所を経由してビットコインを取得した場合は、所有者を特定できる）。

各ブロックには直前ブロックのハッシュ値がダイジェスト値として追加されている。そのため、過去のブロックに記録された、自分の口座から別の口座に送金した取引データを削除するような改ざんを試みるには、そのブロックだけでなく、連結されている後続のブロックのダイジェスト値も書き換える必要がある。

ここで、後続のブロックのダイジェスト値を書き換えたら、後続のブロックの後に続くブロックのダイジェスト値も変更しないと整合性を保てなくなる。変更したのはブロック内のダイジェスト値のみとわずかであるが、ダイジェスト値としてハッシュ値を用いているため、ダイジェスト値は顕著に変化する。

後続のブロックの、そのまた後に続くブロックのダイジェスト値も書き換えたら、その後に続くブロックのダイジェスト値も変更しないと整合性を保てなくなる。結局最後に接続されたブロックまで全ての後続のブロックのダイジェスト値を変更する必要がある。これが第二の整合性（第一段階に相当）である。

これに加え、ブロックが更新されると、後述する理由から、更新されたブロック以降の全てのブロックの連結性も維持できなくなる。従って、ブロックの連結処理も全てやり直さなくてはいけない。連結処理については後述するが、具体的には各ブロックのナンス値を書き換える必要がある。これが第三の整合性（第二段階に相当）である。

後述するようにブロックの連結（ナンス値の算出）には膨大な計算を必要とするため、

複数の後続ブロックの連結をやり直している間に、第三者により新たなブロックが先に連結・追加されてしまう可能性が高い。

即ち、過去のブロックを改ざんして、前述の第三の整合性（第二段階に相当）を保つように後続する全てのブロックの更新処理を、第三者により新規なブロックが追加される前に終了させることは不可能に近い。従って、過去のブロックの改ざんは現実的には不可能である。

ブロック連結の方法：ＰｏＷ（Proof of Work）

新しいブロックを連結するためには、ＰｏＷ（Proof of Work）という計算問題を解く作業が必要である。最初にこの問題の解を発見してブロックの連結に成功した一名（一グループ）には、ビットコインで報酬が与えられる。

報酬額は、二〇二〇年の時点で6・25ＢＴＣ（二〇二二年三月の相場で約三千万円）となり、四年ごとに半減する。従って、二〇二四年は3・125ＢＴＣに下がり、二一四〇年には0になり以降は各取引データに設定された手数料収入だけになる。

報酬として新たな通貨が発行・採掘されるので、マイニングとも呼ばれる。また、連結された約十分間分の全ての取引データに付与された手数料もマイナー（マイニングに成功した人）の報酬になる。

ビットコインのＰｏＷで与えられる問題とは、新規に連結するブロック内のナンスという10桁の数字を自分で決定して書き込む。ナンス値を含めた連結対象のブロックのハッシュ値の例えば、先頭16桁が全て0になるように、ナンス値をしらみつぶしに探し出すというのがＰｏＷの課題である（0にするハッシュ値の先頭の桁数、即ち課題の難易度は年ごとに高くなる）。

制限時間が特にあるわけではないが、順調に連結を進めるためには十分未満に発見することが求められる。早い者勝ちであるため、できるだけ性能の高いコンピュータを使用しないと、勝てる見込みはない。

このマイニング作業はコンセンサスアルゴリズム（合意形成）とも呼ばれ、発見されたナンス値が正しいかどうかは複数の第三者により検算（検算の方は簡単）され、誤っている場合は、二番手以降のマイナーに勝ちを譲ってしまう。

ＰｏＷの見直し

ビットコインのブロックチェーンは優れた仕組みであるが、年々ＰｏＷの難易度が高くなるように設定されている。第6章で述べたコンピュータグラフィックス用のＧＰＵを用いて並列計算を行うなど、種々のマイニング向けスーパーコンピュータや専用ＬＳＩが開発されている。

そのため、ビットコインのマイニング作業に伴う年間電力消費量は、世界一位の電力消費をする中国の年間電力消費量の1％である。これは世界四十位の年間電力消費量に相当するとも言われている。マイニングに成功した人（グループ）は報酬によりコストを回収できるが、二位以下の人たちは電力資源の無駄遣いで終わる。

また、マイニングに成功しても、探索したナンス値は次回のマイニングに活かせられるなど何かに活用できるものではない。そのため、ＰｏＷは貴重な地球資源の無駄遣いではないかという批判がある。

ＰｏＷに伴う計算は有効利用できないか

二一世紀の初めの頃、クラウドの前にグリッドコンピュータというのが流行した。これは、膨大な計算負荷のかかる問題を、高価なスーパーコンピュータを使用する代わりに、全世界のネットワークに接続されている安価なパソコンで分散処理させようというものである。

昼休みや夜間などスクリーンセイバーだけ動いている企業や自宅のパソコンにプログラムを分割配布して実行させ、結果を収集するものである。Ｐ２Ｐと異なり、集中管理しているサーバーコンピュータは存在する。例えば、「SETI@home（宇宙人探しプロジェクト）」といった課題が全世界の数百万台のパソコンで分担実行されたこともあった。

このように、科学的に意義がある探索問題をブロックチェーンのＰｏＷとして行ってもらうという発想も考えられる。また、ビットコイン以外の仮想通貨では、ＰｏＳ（Proof of Stake）といって、無駄な膨大な計算作業をさせずに、通貨の保有量や保有期間に基づいてマイナーを決定する方法もとられている。

ブロックチェーンの新たな活用：NFT

仮想通貨は物理的な通貨と同様に、千円札を二枚の五百円硬貨と交換するといった両替が可能である。このようなトークン（価値のあるモノやデータ）はFT（Fungible Token、代替性トークン）と呼ばれる。

これに対して、千円の記念硬貨は千円札と対等に交換できるものではない。このようなトークンはNFT（Non-Fungible Token、非代替性トークン）と呼ばれる。希少価値が高いデジタル版の骨董品の鑑定書や売買取引情報を管理するのにもブロックチェーンが活用され始めている。

NFTがブレークしたきっかけは、二〇二一年三月に、ビープル（Mike Winkelmann）というアーティストの「Everydays - The First 5000 Days」というデジタル絵画作品がNFTアートとして初めて七十五億円で落札されたことにある。落札者は、「Metapurse」というNFTファンドを創設したMetakovan 氏である。

これは二〇〇七年から毎日制作されてきた五千枚の絵画作品をコラージュしたものである。現物の絵画はなく、全てコンピュータ内に蓄積されているデジタルの画像データである。

デジタルデータは原本と同品質のコピーを簡単に作成できるという問題がある（コピーがとれるモノの価値は0である）。そこで、ＮＦＴアート作品としてブロックチェーンで管理すれば、本物と複製品・贋作との相違を容易に識別でき、所有者を保護することができる。

例えば、作家が手書きで執筆した原稿と出版社に渡した原稿のコピーは、紙やインクの相違からどちらが原本かを容易に識別できる。

しかし、作家がワープロで打った原稿の文書ファイルと出版社に送った文書ファイルのコピーはデジタルデータとしては相違がなく、同じ価値を持つ。即ち、たとえ著名な作家の原稿でも、ワープロで打った文書ファイルには価値がなく、文学館などで展示することは難しい。

この時、作家のパソコンに保存されている文書ファイルをＮＦＴ作品としてブロックチェーンで管理すれば、出版社に渡した文書ファイルのコピーは複製品で原本ではないと判定できるようになる。また、原本には原稿だけでなく創作メモや、執筆に使用された各種資料等も添付でき、複製品と差別化できる。これにより、メタバース内に設立した文学館に、作家のＮＦＴ化されたワープロ原稿も展示可能になる。

製品安全の懸念

立体映像は健康上安全か

第13章

2010年
(3Dテレビ元年)

家庭用3D映像・立体音響：3Dメガネにより眼精疲労、映像酔い

[現状] 未解決

[第6章] ↓
[第12章] ↓

「3Dテレビ」と「電子書籍」の普及宣言

最初にお断りしておくが、本章の話題の技術は明治時代から開発されており、本書の章構成としては、先頭の方に位置づけられるべきかもしれない。

しかし、本章の話題と次章の電子書籍の話題には共通性がある。二〇一〇年に開催された「CEATEC」という国内の家電関連の展示会にて、二〇一〇年は「3Dテレビ」と「電子書籍」元年になると宣言されて、見事に双方とも翌年には失速した。

このように双方は、二〇一〇年に共通する誤算をおかしたということから、本章と次章に「3Dテレビ」と「電子書籍」の話題を配置した。

人間を含め生き物はステレオ感覚器を持つ

五感と呼ばれるヒトの感覚器の中で、視覚と聴覚は左右対称に二つ備えていてステレオ知覚が可能である。左右の目や耳に入ってくる情報のわずかな違いを基に立体感を得ることができる。

さらに、耳の構造は、前後方向と上下方向で非対称になっているので、音源位置が前後や上下に移動すると聞こえ方（音色）が変化する。そのため、二つの耳だけで、5・1ch以上のスピーカーを配置したサラウンド空間に匹敵する臨場感を楽しめる。

ちなみに、鼻の孔も左右対称に二つあるが、これは嗅覚に立体感覚を与えるためではない。鼻の孔が詰まって鼻呼吸ができなくならないように、交互に鼻を休ませることができるようになっているらしい。

私が生まれた時には、既に、ステレオのアナログレコードプレーヤーや、赤と青のフィルターでできたアナグリフ・メガネをかけて楽しめる飛び出す絵本が自宅にあった。博物館に行くと、ステレオスコープを用いた立体写真や、立体映画を見ることができ、明治時代にはステレオ映像やステレオ音響の技術が既に確立していた。

万博での富士通パビリオンの思い出

万博では昔から大規模映像の展示が目立ち、一九七〇年の大阪万博においては、球型スクリーンを用いた立体映像が放映されていた。特に、一九八五年のつくば万博は「映像博」とも呼ばれ、斬新な立体映像技術が披露された。

第6章で述べたように富士通パビリオンでは、「ザ・ユニバース」という世界で初めて全編がＣＧで制作されたモノクロ立体映像が放映された。アナグリフ・メガネをかけて鑑賞するもので、オールＣＧというのが珍しかったこともあり、連日長蛇の列をつくっていた。

富士通は万博終了後に、大阪に建てた自社のツインタワーオフィス内に、万博会場より富士通パビリオンを移設し、万博で鑑賞できなかった人々のためにしばらく放映を継続した。

私は万博開催中にこの立体ＣＧ映像を一度鑑賞している。ただ、万博終了後に仕事で大阪に出かける機会があり、出張先の近辺でたまたま見覚えのある移設された富士通パビリオンを見かけた。ここではほとんど待ち時間なしで見ることができ、再び万博の映像が眼前によみがえり感動した。

４ｃｈステレオオーディオの開発

大阪万博の頃に、４ｃｈステレオという技術が開発され、４ｃｈ音響が記録されたＬＰレコードも販売された。2ｃｈステレオの二台のスピーカーに加え、後方にも二台のスピーカーを配置して鑑賞するものである。

通常のＬＰレコードは針をこする左右の溝に２ｃｈの音響信号が刻まれている。これに加え、４ｃｈでは深さ方向がさらに二分割されて、左右の溝に各々２ｃｈの信号を記録できるようにしたものである。

ちなみに、オーディオカセットは片面で２ｃｈが記録でき、両面をフルに使用すれば、４ｃｈを記録できる仕様になっている。そのため、磁気ヘッドを改良し、記録再生を片面専用にすれば、４ｃｈオーディオにそのまま対応できた。

私が通っていた中学校の音楽室に、この４ｃｈオーディオが設置され何度か試聴したことがある。ソフトはクラシック音楽で、コンサートホールでの実際の生演奏では、客席後方から楽器演奏がなされることは経験したことがないので、むしろ違和感を覚えた。

４ｃｈオーディオは映画館など劇場施設では効果があるかもしれないが、少なくとも狭い家庭のリビングでは意味がなく、結果的に廃れてしまった。

5・1ｃｈサラウンド音響の開発

その後、第8章で述べたように、二〇世紀末に「ＤＶＤオーディオ」という高精細な大容量オーディオ記録媒体が開発され２ｃｈを超える音響信号が記録できるようになった。

例えば、前述の4chオーディオに対して前方に中央スピーカーを追加し、さらに低音を増強するサブウーファースピーカーを加えた全六個のスピーカーで構成される「5・1chサラウンド」という新規な立体音響システムが提案された。

この方式は、デジタル放送でもサポートされるようになり、現在も音楽番組で時々サラウンド音声が流されている。しかし、4chオーディオと同様に、狭い日本の家庭のリビングでこのようなハイスペックな音響を要望する声がどのくらいあるかは疑問である。

3D映像には安全性の懸念がある

立体音響については、難聴を引き起こさないように音量設定に留意すれば、特にヒトに対して聴覚障害や精神障害を起こす心配は指摘されていない。

一方、ステレオ映像では安全性に懸念がある。ステレオ映像ではヒトの二つの眼の両眼視差を利用して立体感を与えているが、二つの眼の間隔に個人差があることが考慮されていない。二台のカメラを用いてステレオ撮影する場合は、ヒトの瞳孔間距離が平均六五ミリであるとして、一律の条件で撮影を行っている。

瞳孔間距離がこの平均値より顕著に長かったり短かったりすると、被写体が普段見ている感覚より平坦に見えたり、異様に飛び出して見えたり、といった違和感を覚える。特に動画で被写体が動いていると、奥行き方向の動きが不自然に見える。

この状態で長時間鑑賞すると、映像酔いや眼精疲労を起こしやすい。そのため、瞳孔間距離が短い七歳未満の子供には3Dメガネの使用を禁止している。

この現象は、二〇一六年に普及元年と宣言されたVR（Virtual Reality）ゴーグルでも同様に起きる。VRの場合は、頭の動きに連動して三六〇度映像のアングルが変化するので、3D映像以上に影響が大きい。

そのため、十三歳未満の子供にはVRゴーグルの使用を禁止している。家族連れで娯楽施設に出かけて、最も興味を持ちそうな子供だけVRの鑑賞ができないのはエンターテインメントとして致命的である。

ところで、子供への影響で思い出されるのが、一九九七年に起きた「ポケモンショック」である。テレビアニメ番組内での光の点滅により体調不良を起こすという問題が発生した。これについては、番組制作のガイドラインに点滅基準が設けられて以来、本問題は再燃していない。

二〇一〇年に普及宣言された3Dテレビ

冒頭で述べたように、二〇一〇年十月に開催された家電の展示会「ＣＥＡＴＥＣ」で各社から各種の「３Ｄテレビ」が出展された。「３Ｄテレビ」では左目用と右目用の二つの映像を撮影・編集して再生する必要がある。

ステレオ映像を送信・再生するには、現行の地上デジタル放送の規格の二倍の伝送容量が必要である。左目用と右目用の撮影映像をフレーム単位で一つおきに合成した二倍の総フレーム数で構成される、左右の合成映像を編集する。

そして、動画のフレームレート（30ｆｐｓ）を二倍に上げてテレビで左右の合成映像を再生する。即ち、テレビでは従来と同じフレーム間隔で左右の映像が交互に表示される。

一方、３Ｄメガネは左右のレンズが液晶等のアクティブシャッターで構成されている。この構成で、テレビのフレーム更新のタイミング（通常の二倍の60ｆｐｓ）に同期して、左右のシャッターを交互に開閉させる。

具体的には、テレビ画面には１／60秒間隔で左目用のフレームと右目用のフレームが交互に表示される。この時、左目用のフレームが表示されている間は、３Ｄメガネの左目側のシャッターが開いて、右目側のシャッターが閉じる。逆に、右目用のフレームが表示されている間は、3Dメガネの左目側のシャッターが閉じて、右目側のシャッターが開く。即ち、我々が普段対象物を凝視するような、両目を同時に使って映像を見ることはできない。そのため、左右の眼の視力に顕著な差がある場合（私自身もそうであるが）、立体感が適切に得られず、落ち着きがない映像に見えることがある。

一方、テレビ画面に表示される映像は、左右に手ブレしたような、ボケた映像になり、3Dメガネを使用せずに裸眼で見ると落ち着きがない鑑賞に堪えないものになる。

メガネなし方式の3Dテレビ

また、各フレームの各走査線において画素を一つおきに間引き、左目用と右目用の画素を水平方向に交互に配置させて表示する方法もある。

この場合は、水平解像度が半分に落ちるが、フレームレートは、現行の地上デジタル放送の規格と同じ三十分の一のままになる。そして、ディスプレイの前面に各画素に対応させてレンチキュラーレンズを配置すれば、裸眼で立体視が可能である。

ただ、3Dメガネを使用する場合に比べ、テレビを鑑賞する位置は中央に固定され、複数の人が一緒に鑑賞したり、長時間鑑賞したりといったことは難しい。

「3Dテレビ」より「4K・8K」放送が優先

　このような「3Dテレビ」が披露されたあと、地上波やBSデジタル放送において「3Dテレビ」の放送サービスを追加するといった話は進展しなかった。

　代わりに「4K」や「8K」放送サービスの実用化が優先された。翌年の二〇一一年の「CEATEC」では、震災直後の影響もあり、展示内容が劇的に変わり、テレビに関する展示は「4K」、「8K」といった超高精細のスーパーハイビジョンに様変わりした。

「3Dテレビ」の姿はなくなったが、「8Kテレビ」を裸眼で見ると、従来のハイビジョンテレビに比べて立体感があり、その立体感が前年の「3Dテレビ」より自然に見えた。

ユーザには迷惑

紙の本よりカタブツな電子書籍

第14章

2010年
（電子書籍元年）

電子書籍流通の制約：他店で買った電子ブックは読めない

［現状］未解決

［第11章］↓

［第12章］↓

電子コミックはトラブルが起こらない

電子書籍については私自身、制作する立場と読者としての立場の双方にて、そこそこの経験があり、語りたいことが豊富にあるため、前書①の第8章と前書②の第11章でもそれぞれ紹介した。

本章では前書①の第8章で述べた話題の続きである。前章の「3Dテレビ」の話題とともに二〇一〇年に電子書籍元年と宣言されながら、その後、電子書籍が普及に難航している理由、種々の過ちや問題点を一読者の立場で述べることとする。

電子書籍には、紙の書籍の体裁のまま端末側でレイアウトを一切変更できないフィックス型と、文字サイズなど組版体裁を変更できるリフロー型がある。前者はコミックや図鑑など絵が中心の書籍や雑誌で使用されており、紙の書籍と全く同じ体裁で表示されるので、原理的に問題が発生しない。

これまで、電子書籍に対するクレームがあまり聞こえてこない理由は、コミックのユーザ、即ちフィックス型のユーザが大多数を占めているからである。

トラブル続きのリフロー型電子書籍

一方、リフロー型の場合、基本的に紙の書籍とは体裁が異なる上、端末ごとに、ユーザの設定次第で種々の体裁で閲覧される。そのため、紙の書籍のようにＤＴＰで組まれた単一の体裁で校正を行うだけでは不十分である。

といって、サポートする全ての端末で、あらゆる体裁でしらみつぶしに校正を行うのは不可能に近い。そのため、紙の書籍と同様に単一の初期体裁のまま出荷されてしまう。

また、仮に問題が発覚しても、パソコンＯＳの更新と同様に、修正データを再配信するといったソフトウェア的な対応がとれる。紙の書籍のように印刷をやり直すといった大きな損害が発生しないことも、校正が徹底されない理由である。

二〇一〇年の電子書籍元年から、十年強経過した今日ではほとんど見かけなくなったが、リフロー型の電子書籍では、後述する文字化けと組版崩れのトラブルが目立った。

リフロー型の電子書籍の文字データはワープロの文書ファイルと同様である。書籍データには文字コードしか収録されておらず、端末にインストールされているフォントを用いて各文字の形状を表示する方法をとっている。

そのため、ビューアに音声合成の機能が内蔵されていれば、文字コードを参照することにより音声読み上げを実現できる。従って、ユニバーサルアクセスという観点では、リフロー型が推奨される。

PDF文書におけるフォント埋め込み対策

端末側のフォントは、DTPによる文字組版や校正に使用されているフォントと異なる場合が多い。そのため、異体字・絵文字などの特殊な文字コードに対応するフォントが欠落する、あるいは別のフォントが割り当てられることがある。その場合、井桁と呼ばれる文字枠だけ表示されたり文字化けが発生したりする。

初期のPDF文書でも同様な問題が発生していたが、PDF文書ファイルにフォントの埋め込みが行われるようになってから、本トラブルは発生しなくなった。

例えば、MS-Wordの文書ファイルを海外のパソコンで開くと、日本語フォントがないため、文字化け状態になる。ところが、PDF文書ファイルについては、日本語フォントが搭載されていないパソコン上でも、日本語で適切に表示される。

同一文字コードへの重複定義

Windowsパソコンを使用されていればご存じのとおり、フォルダ階層（Windowsの前身のMS－DOSではディレクトリと呼ばれた）は、「C:¥Users¥modegi¥」のように表現される。この時、フォルダ名の区切りに半角の「¥」記号が使用される。ところが、この「¥」記号は、英語版のWindowsパソコンで表示させると、半角のバックスラッシュ「＼」に化ける。

これは米国で開発された大型コンピュータにおいて、半角の文字コードの中に「$」記号は用意されていたが、「¥」記号がなかったことに起因する。当時のコンピュータは金融分野での利用が大半を占めていたため、日本のお金の単位を出力できないのは致命的であった。

そこで、当時の日本の技術者が、使用頻度が低い「＼」記号の文字コードに「¥」記号を一時的に割り当てて、日本円も表現できるようにした。姑息的な対応のつもりが、半世紀以上経過した今日までそのまま継続して使用されている。特に大きな問題が起こらなかったからであろうか。

似たような話で、日本固有の半角のカタカナ文字の問題がある。現在普及している半角文字は米国で規定された7ビットのASCIIコードが基礎になっている。この1バイトの文字コードに対して、日本独自に8ビットに拡張して、半角のカタカナを割り当てた。

その後、インターネットが登場すると、1バイトのデータは7ビットで伝送するルールになった。日本の全角文字は2バイトで各バイトが7ビットでコード化されているので支障ないが、8ビットでコード化されている半角カタカナは伝送できなくなった。これが電子メールにおいて半角カタカナ文字を使用できない理由である。

これに対して、銀行のオンラインシステムでは、口座名称等に未だに半角カタカナ文字が使用されている。システム改修を行うとシステム障害を引き起こす可能性が高いため、手をつけたくてもつけられないのであろう。

その他リフロー型の問題

このようなフォントの問題以外に、リフロー型の問題としては、縦組みの組版で、文章の途中で部分的に横組みになって行が崩れたり、ルビの位置がずれたりといったトラブルをよく目にした。

リフロー型では、文字サイズを変更できても、字間や行間は一般に変更できない。そのため、文字サイズによっては字間や行間が狭過ぎたり、空き過ぎたりしてバランスが悪く、読みにくくなる場合があった。

　また、理由は不明だが、文中の小見出しが、段落の先頭ではなく、直前の段落の最後に付加されているような配置になっているものをしばしば見かけた。さらに、章や節の見出しが直前の章や節の最終段落や挿絵と接触するトラブルもよく見かけた。

紙の書籍に比べ未だ見劣りする電子書籍

　学研の『科学と学習』や『大人の科学マガジン』のように、理科教材の付録が本文より充実している雑誌の電子版に、付録を搭載させることが難しいことは理解できる。

　しかし、語学や音楽関係の書籍・雑誌で付録としてＣＤやＤＶＤなどのデジタルデータが付いていることがある。これらの場合でも、配信されている電子書籍データにデジタルデータの付録が収録されている例は見かけたことがない（ＥＰＵＢ〈ＩＤＰＦ［International Digital Publishing Forum］が策定した電子書籍の国際規格〉の仕様上は音声や動画を添付することは技術的に可能なはず）。

　その代わり、出版社のＷｅｂサイトより付録のデジタルデータをダウンロードできるようにしている例はある。デジタルデータの付録を添付することは、紙の書籍よりも、むしろ電子書籍の方が本来は扱いやすいはずなのだが。

電子書籍ではカットされることがある

最近（二〇二二年）、国内大手の某出版社より電子書籍の単行本を購入して、大変驚いたとともに若干損をする体験をした。専門分野の解説本で写真が多く掲載されている書籍である。

ところが、ほとんどの写真はピンボケで、所々写真が欠落していて枠だけ表示されている箇所もあった。写真が欠落していても、本文で掲載写真に関する説明がなされており、意味が通じない文章が目立った。

購入先の大手の某ネット書店に書籍データに不備がある旨、問い合わせを行った。早々に返答があり、データに不備はなく意図的に行われたという意外な回答だった。

回答文の中に、電子書籍商品の規約文が次のように引用され、本書籍はこれに該当するとのことであった。

「電子化にあたり、一部の作品では出版元の意向や著作権の問題により、挿絵やイラストがない場合や表現の修正が行われるなど、掲載内容が異なる場合があります」

即ち、著作権の制約により、意図的に写真をぼかしたり、カットしたりといったことがなされたようである。しかし、写真が掲載されていないのに、本文で写真の説明がなされているのは書籍として意味がなく、商品としては不完全であるように思う。

要するに、電子書籍は商品として不完全な場合があるので、ネット書店は、電子書籍より紙の書籍の購入を推奨しているようにも思われる。今回のような場合、紙の書籍のみの販売に限定し、電子書籍版は都合により販売できないという対応にされた方が、読者に親切ではなかったかと思う。

これまで、十年以上、電子書籍・雑誌を購入してきて、電子雑誌で広告欄がカットされている例は幾度か経験しており、広告がなくても別に支障はない。しかし、本文の掲載写真がカットされている例は初めてだったため大変驚いた。

大学のオンライン授業に伴う新たな出費

コロナ禍において大学の授業の多くがオンライン化されたが、従来の対面授業に比べ、公衆送信補償金という余分な費用がかかるようになった。

大学関係者でない方には、オンライン授業では、施設費や交通費が不要になるため、安上がりに思われるかもしれない。しかし、電子教材配信のため、ＩＣＴ関連機材の購入やソフトウェア外注費などの設備費が加わり、公衆送信補償金という新たな出費が増えている。即ち、従来の対面授業に比べ費用がかさんでいるのだ。

対面授業の教材として、書籍や雑誌の一部をコピーして教室で学生に紙で配布する行為は、著作権法上は問題なく、著作権者に無許諾・無償で行うことができる。

しかし、オンライン授業において、書籍や雑誌の一部のコピーをＰＤＦファイルの形態で大学のサーバーから勝手に配信する行為は、本来は違法である。

そこで、二〇二〇年のコロナ禍の緊急な法改正により、公衆送信補償金の支払いを行えば、著作権者に無許諾で配信可能になった。いずれにしても、紙のコピーでは著作権使用料は無償だが、ＰＤＦ化すると有償になる。

また、違法であるが、学生に指定した教科書を購入させる代わりにＰＤＦ化して配布する方法がある。書籍全体をＰＤＦ化する方法として、正規購入した紙の書籍の製本をばらして、スキャナによりＰＤＦ版コピーを作成する方法が行われている。

これは、「自炊」と呼ばれ、個人で楽しむだけであれば違法ではないが、事業者が行う場合は、たとえ教育機関であっても違法になる。

他の電子書店で購入した電子本は読めない

学術雑誌等では掲載記事や論文の電子版がPDFで切り売りされている。ただ、PDFはパソコン・タブレットなど種々の端末で閲覧でき、フルカラーで高品質なコピーも安価に簡単にとれてしまうという著作権上の弱点がある。

そのため、一般的な商用の電子書籍や電子雑誌ではPDFを使用せず、著作権管理（DRM〈Digital Rights Management〉）がしやすいEPUBなどのフォーマットが使用される。そして、販売するネット書店ごとに専用の電子書籍ビューアを開発して読者に提供している。

同じEPUB形式の電子書籍データであっても、例えば、アマゾンから購入した電子書籍は「Kobo」では読めず、楽天から購入した電子書籍は「Kindle」では読めない。そのため、「Kindle」の電子書棚に楽天から購入した電子書籍を混在して並べることはできないという、紙の書籍では有り得ない制約がある。

違法な電子コミックの流通問題

このような制約の背景には、デジタルデータが安価に高品質に簡単にコピーを作成できてしまうという問題にある。そのため、著作権保護技術により、がんじがらめにし、紙の書籍のような融通性を犠牲にしている。

それでも、スクリーンショットを撮るといった、セキュリティホールがある。例えば、二〇一一年に「コミスケ3」という電子コミックの違法コピー本を作成するツールがInternal, Inc.より販売された（社長は著作権侵害で逮捕された）。

これは、ネット書店から提供されている正規のパソコン版の電子書籍ビューアにより表示されるコミックに対して、スクリーンショットを撮って違法コピー本を作成できるツールである。

このツールを用いると、正規購入した電子コミックをパソコンに表示させた状態で、ページめくり操作とスクリーンショットを撮る操作、PDFに保存する操作、といった一連の操作を全ページ分自動的に行える。即ち、コミック一冊分のPDF版コピーを作成する処理を、ほとんど自動的に行えるようにしたものである。

多くのパソコン版の電子書籍ビューアには「CypherGuard」というスクリーンショッ

ト機能を無効にするコピー阻止機能が搭載されているが、「コミスケ3」はそのコピー阻止機能も無効にして違法コピーをとれるようにしている。

海賊版サイト「漫画村」の闇の資金源

このように、電子書籍の中でもコミックは市場が大きいので、二〇一六年に「漫画村」という海賊版サイトまで構築され社会問題になった（同サイトは二〇一八年に閉鎖）。

ちなみに、「漫画村」ではユーザがスマホやパソコンを用いて無償で海賊版の漫画が読める。しかし、漫画を閲覧している間に、第12章で述べた仮想通貨のマイニングに知らないうちに協力させられてしまう可能性が明らかになった。

同章で述べたグリッドコンピュータの仕組みを利用し、あらかじめ電子書籍ビューアにはマイニングツールが組み込まれている。ユーザが同サイトで漫画を読んでいる裏で、ユーザのＣＰＵを勝手に借りてマイニング処理を分担して実行させてしまう。しかも、マイニング対象の仮想通貨は「ビットコイン」ではなく、「モネロ」という主に北朝鮮で流通している仮想通貨である。

NFT電子書籍

前述の電子書籍の海賊版が横行する根本的な問題は、デジタルデータが高品質に安価にコピーをとれることに起因する。紙の書籍のように、コピーをとるのにそれなりのコストがかかり、品質が劣化するような媒体であれば問題が起こらない。

そこで、電子書籍の分野で、第12章で述べたNFTが注目されている。第12章で述べたブロックチェーンは「ビットコイン」のようなデジタルデータに対してコピーをとれないモノとして扱えるようにすることを可能にする技術ともいえる。

モノの例として、FTでは仮想通貨などのお金で、NFTではデジタル形式のアート作品が代表的である。そのアート作品の一例として電子書籍（豪華な装丁の書籍に限らず）も含まれる。

電子書籍をNFT化することにより、紙の書籍と同様に、限定された部数だけ発行することが可能になる。図書館では購入した部数しか館外に貸し出しができず、電子書籍を古本屋さんなど中古市場に転売するといったことも可能になる。

特に重要なのは書籍の二次流通である。紙の書籍では既に転売が行われているが、二次流通の売り上げは著者や出版社に還元されないため、あまり歓迎されるものではなかった。

ＮＦＴ化することにより、二次流通時においても、著者や出版社は事前の契約（スマートコントラクト）に基づき既定のロイヤリティを受け取ることが可能になる。また、前述の電子書籍では難しかった付録の添付もデジタル付録として添付することが容易に行える。

電子書籍を新規に五部発行する場合は、ネット書店（マーケットプレイス）のブロックチェーン上に電子書籍のＮＦＴが5ブロック並ぶ。初期状態では、これら5ブロックの所有者は全て出版社に設定されている。そして、購入されるといずれかのＮＦＴブロックの所有者が移転され、中古市場に転売されればさらに所有者が古本屋さんに移転される。所有者が移転されるごとに、取引のブロックが追加されるのは「ビットコイン」と同様である。

五部の所有者が出版社から第三者に全て移転されれば売り切れとなり、増刷を検討することになる。紙の書籍でも、たとえ自費出版でも五部だけ印刷するというのは、オンデマンド印刷機を使用しないと実現が難しいのではないかと思われる。

ちなみに、日本で最初に発行されたＮＦＴ電子書籍は『サウナランド』（編集長：箕輪厚介氏）という雑誌で、二〇二一年に一部だけ発行され、ネットオークションにより二百七十六万円で落札されている。

ユーザには迷惑

危険と表示されないサイトは安全か

第15章

2016年
（Webサイト常時SSL化）

個人情報保護対策の行き過ぎ
∴ブラウザで危険なサイトを誤判定
［現状］未解決
［第3章］→

Ｗｅｂサイトのステートレス通信の特徴

最終章は、Ｗｅｂサイトにアクセスしている時にやりとりされる個人情報の保護に関する話題を取り上げる。Ｗｅｂブラウザと Ｗｅｂサイト間のやりとりは、「ステートレス通信」と呼ばれ、単一のセッションごとに完結する。

ここでセッションとは、ユーザがブラウザ操作によりＷｅｂサーバーに対して表示のリクエストを送信してから、ブラウザに表示されるまでの一連のやりとりを指す。ユーザのアクションに基づき、Ｗｅｂサーバーから描画データがＨＴＭＬ文で返送される。

この時、Ｗｅｂサーバー側には過去にやりとりした内容が保存されず、原則として次のセッションに引き継がれないようになっている。

例えば、ユーザがＷｅｂページに表示されている選択肢より、ある項目をクリックして詳細な内容を閲覧したとする。この段階で、第1セッションは終了し、Ｗｅｂサーバー側にはユーザがどの選択肢をクリックしたかは記録されない。

続いて、ユーザが同サイトで選択肢を表示する画面に戻る指示ボタンをクリックする。この時、同ユーザが前のセッションでどの選択肢を選んだかは、Ｗｅｂサーバー側ではわからない。そのため、初回のセッションと同様な選択肢を表示することになる。

たとえていえば、複数の段落（セッションに相当）で構成されている小説を読む際に、前に読んだ段落の内容を忘れながら次の段落を読み進めるようなものである。

Webサイトの訪問記録情報の導入

このような方法をとっているのは、Webサーバーが複数のユーザからのリクエストをさばくためである。各ユーザが前回どのようなリクエストをしたかは、いちいち覚えないようにしている。しかし、これではユーザにとって不便である。

そこで、前述の選択肢の例に話を戻す。Webサーバーは、第1セッションの実行時に、ユーザが訪問したサイトアドレスと選択肢にて選択した項目の情報を一時的に記録する。そして、記録したデータをユーザのWebブラウザに送ってログとして保存してもらうようにする。その後、Webサーバー側ではこの記録を削除する。

このようにWebブラウザ側に転送され保存される記録データはクッキー（Cookie）と呼ばれる。特に、ユーザがアクセスしたサイトから発行されるクッキーは「ファーストパーティークッキー」と呼ばれる。

この状態で、ユーザが同サイトで選択肢を表示する画面に戻る指示ボタンをクリックする。そうすると、クッキーをWebサーバーに送信して、このユーザが前のセッションで選択した項目を教える。

そして、前のセッションで選んだ項目をマーキング（色を変えるなど）した上で、Webブラウザに選択肢を表示させるようにしているのは、周知のとおりである。

Webサイトの訪問記録情報の第三者活用

グーグルなど検索サイトを訪問してキーワードを入力すると、ブラウザに検索候補が表示されるだけでなく、スポンサーの広告が連動して表示される。

この状態で、広告サイトをクリックすると、グーグルのサイトに対するクッキーだけでなく、広告サイトに対するクッキーも作成される。即ち、二種類のクッキーがユーザのブラウザに保存される。

この広告サイトに対するクッキーは、「サードパーティークッキー」と呼ばれる。これに対して、当初アクセスしたグーグルのサイトに対するクッキーは、「ファーストパーティークッキー」と呼ばれる。

二〇二二年四月施行の改正個人情報保護法にて、Webサイトの訪問記録情報であるクッキーは「個人関連情報」として規制の対象になった。特に「サードパーティークッキー」の使用にあたって、事前にユーザの同意が必要になった。

Ｗｅｂにおける個人情報の授受

前述のクッキーは、二〇世紀末のＷｅｂ技術の黎明期より実装されていた機能で、この頃から実装されていたもう一つの個人情報に関連する技術としてＳＳＬ（Secure Socket Layer）がある。

Ｗｅｂが電子商取引（ＥＣ〈Electronic Commerce〉）などの分野に活用されるようになると、商品の送付先（ユーザの氏名・住所・電話番号）やクレジットカード番号などの個人情報を入力してもらう必要が出てきた。

これらは、Ｗｅｂサーバーを管理している業者側が必要な情報であるため、Ｗｅｂサーバーの後方に配置されているデータベースに記録される。データベースに記録するためには、セキュリティ上、ユーザアカウント（ログインＩＤとパスワード）による管理などが必要となる。

これらの情報はオプションでクッキーに保存することもでき、保存すれば次回からパスワード入力を省略できる。ただし、クッキーが保存されているパソコンが第三者に使用されると、悪用される危険性がある。

個人情報入力ページの暗号化

これらの情報が、インターネット上でＷｅｂサーバーとＷｅｂブラウザ間でやりとりされる時に、第三者により盗聴されるリスクがある。

そこで、個人情報を入力するページではＳＳＬという方式で暗号化する方法をとることが原則になっている。当初は、Ｗｅｂブラウザの種類やバージョンにより、ＳＳＬのサポート状況が異なっていたので、ユーザの選択によりＳＳＬを使用しない選択肢もあったが、現在はＳＳＬの使用が必須になった。

ＳＳＬ通信を行う場合、はじめにユーザのＷｅｂブラウザ側にて暗号化に使用する共通鍵を作成する。そして、作成した共通鍵を用いて、Ｗｅｂサーバーとやりとりする全てのデータを暗号化する。複数のユーザがＷｅｂサーバーにアクセスしている場合、ユーザごとに共通鍵は異なる。

データをやりとりする前に、この作成した共通鍵をＷｅｂサーバー側にも送る必要がある。しかし、鍵データをそのまま送信すると共通鍵が盗聴されるリスクがあり、共通鍵が漏れたらそもそも暗号化する意味がなくなる。

これはかつて鍵配送問題と言われた難問で、この解決策として公開鍵暗号という画期的な技術が開発された。この方式では、公開鍵と秘密鍵という二種類の鍵をセットで生成する。そして、暗号化と復号化とで異なる鍵を使用する暗号通信の方式である。

公開鍵とは、ネットで相手に送ることができ、第三者に漏洩されても差し支えない鍵という意味である。一方、秘密鍵は公開鍵のセットを生成した人だけが保持し、他人に渡さない鍵である。

公開鍵は南京錠に相当し、南京錠を開閉する鍵が秘密鍵に相当する。南京錠では閉めることはできるが開けることはできない。南京錠を開けるためには、秘密鍵が必要になる。

Ｗｅｂブラウザ側が共通鍵を送る前に、Ｗｅｂサーバー側で公開鍵と秘密鍵のセットを生成し、公開鍵だけをＷｅｂブラウザ側に送る。そして、Ｗｅｂブラウザ側で生成した共通鍵を、受け取った公開鍵で暗号化してＷｅｂサーバー側に返す。

暗号化された共通鍵は秘密鍵を持っているＷｅｂサーバーでないと復号化できないので、第三者に共通鍵が漏れることはない。

逆に、Ｗｅｂサーバー側が秘密鍵で文書を暗号化して、Ｗｅｂブラウザ側に渡すこともできる。この場合は、通信中のＷｅｂブラウザに限らず公開鍵を持っていれば誰でも復号化して閲覧できる。

ただし、文書を作成して公開するのは秘密鍵を持っているＷｅｂサーバー側でないと行えない。即ち、文書を作成したのは、このＷｅｂサーバーであることを証明でき、送信された文書が改ざんされていないことも証明できる。ＳＳＬ通信を行う前に、Ｗｅｂサーバーが正規のサイトであることを証明する電子証明書の伝送等に使用される。

常時ＳＳＬ化によるセキュリティ強化

ＳＳＬ暗号化を行うと、データを送信する際に共通鍵を用いた暗号化処理を行い、データを受信する際に共通鍵を用いた復号化処理を行う必要がある。

暗号化を施さない平文の状態でデータを送受信する場合に比べ顕著に処理負荷がかかる。特に、暗号化対象のページに画像データなどの大容量のデータが含まれていると、応答性が顕著に悪くなる。

そのため、Ｗｅｂサーバー側には専用ハードウェアで実装されたＳＳＬ暗号化装置が置かれていることが多い。しかし、Ｗｅｂブラウザ側にそのような装置が置かれているユーザは稀なので、処理負荷はそれなりにかかる。

それでも、昨今のコンピュータの処理能力の向上により、ＳＳＬ暗号化に伴う応答性の低下はあまり気にならなくなった。一方、Ｗｅｂサイトの改ざんなど、Ｗｅｂサイトを狙ったサイバー犯罪が増えてきた。

そこで、二〇一六年頃から、特に企業や公的機関のＷｅｂサイトにおいて、常時ＳＳＬ化という対策がなされるようになった。個人情報を扱うページだけでなく、Ｗｅｂサイトに接続した最初のトップページから全てのやりとりをＳＳＬで暗号化する方法がとられる。

Ｗｅｂサイトが、常時ＳＳＬ化がなされているか否かは、ＵＲＬの先頭文字列で判別できる。ＵＲＬが「http:」で始まるサイトは従来通り暗号化されておらず、「https:」で始まるサイトは常時ＳＳＬ化がなされている。

例えば、私の個人のページは二種類あり、http://www.bekkoame.ne.jp/~modegi/ のサイトは従来通り暗号化がなされておらず、https://sites.google.com/view/hptoshiomodegi のサイトは常時ＳＳＬ化がなされている。

双方のサイトとも画像を貼り付けておらず、ほぼ同一のテキストのみの内容である。試しにブラウザにて双方のサイトにアクセスされるとわかるが、後者のサイトは前者に比べ応答性が悪い。

常時SSL化に伴う誤解

最近、各ブラウザのメーカーにより、常時SSL化がなされていないサイトに対して、「保護されていない通信」とか「安全ではありません」といった警告表示がなされるようになった。

これは、URLが「http:」で始まるサイトに対して、このような警告を出しているだけであって、ページのコンテンツを解析して危険か否かを判断しているわけではない。

これに伴い、比較的ICT分野に疎い複数の方から、「Webブラウザに『安全ではありません』と表示されるサイトはフィッシング詐欺など危険なサイトである可能性があるためアクセスしない方が良いですか」というような質問を何度か受けたことがある。

フィッシング詐欺は、ユーザにIDとパスワードを入力させて個人情報を吸い上げることを目的としている。そのため、よほどのボケでない限り、常時SSL化を行わない詐欺師はいない。従って、「安全ではありません」と表示されない一見安心なサイトの中に詐欺師の危険なサイトが含まれている。

一方、「安全ではありません」と表示される常時ＳＳＬ化を行わないサイトは、中小規模の法人や個人のサイトなどが多い。個人情報の取得を行わず情報公開のみを目的としているサイトが多く、危険なサイトはあまり見かけない。

ブラウザによるサイト判定方法の見直し

即ち、ブラウザで要注意と判定されるサイトは比較的安心で、要注意と判定されないサイトが逆に要注意である。このように最新のＷｅｂブラウザは、Ｗｅｂサイトに対して真逆な判定をする可能性があることに留意する必要がある。ＩＣＴ分野に疎い人々に誤解を与えないように、Ｗｅｂブラウザのメーカーには早急な改善をお願いしたい。

例えば、金融機関やセキュリティ関連企業が偽サイトやフィッシングサイト等の典型例を公開している。これらのパターンを人工知能に機械学習させ、Ｗｅｂサイトのコンテンツのパターンで危険なサイトか否かを判定するようにできないか。

また、常時ＳＳＬ化を行うと、ユーザがキーワード検索などを行ってサイトに訪問するプロセスの全てが暗号化される。これにより、特に検索連動広告のサイトを運営している企業がトラッキング解析を行うのに支障をきたす。

従って、従来通り個人情報の保護が必要なページだけに暗号化を行う方法をとり、Webサイトに対するサイバー攻撃には別の対策を検討する方が良いのではないかと思われる。

おわりに

以上、本書では、私が生きてきた昭和・平成の年代において、情報化社会が犯した過ちという負の側面にフォーカスした。そして、後続の過ちに影響を与えたものを含め主要な十五件の過ちを厳選し、引き起こした順に一件ずつ各章に割り当てて、十五の章立てで説明を行ってきた。

十五という数字にこだわったのは、大学関係者であればご推察のことと思われるが、大学の半期の授業の標準コマ数を意識したものである。大学の情報系の授業の副読本として活用される場合に、毎週1章ずつのペースで進められるようにした。

十五の章の中で、第1、2、10、13章以外はソフトウェアに関する過ちである。ソフトウェアはハードウェアに比べ訂正が容易なはずである。

ところが、現在までに訂正・解決できている過ちは、意外にも第2章と第5章の二件しかない。ちなみに、ハードウェアに関する過ちで現在までに訂正・解決できている過ちは、第2章のみである。

本書をまとめる前までは、過ちや失敗は訂正して再度チャレンジすることにより、技術が進歩するものだと考えていた。しかし、十五件の過ちをまとめた結果、この考え方こそが最大の過ちであったことに気づいた。

即ち、十五件の過ちは、今日の視点で眺めると確かに過ちであるかもしれないが、その時代においては過ちであるというより、技術革新を起こす源流になっていることもある。この時、ほとんどの過ちは訂正されずに、未解決の状態で放置されていることも技術革新を起こす上で重要である。一般に、「同じ過ちを繰り返すこと」は悪いことのように教育されてきたが、必ずしもそうではないようである。

例えば、第1章で取り上げた商用電源周波数の不統一問題がある。もし日本全国がドイツ製またはアメリカ製のいずれかの発電機に統一していたらどうなっていたか。日本の電気工学技師の頭は、一方の国に偏った技術知識に振り回され、新たな発想を生み出しにくい体質に陥っていた可能性がある。

即ち、ドイツとアメリカの双方の製品を輸入したことにより、バランスのとれた総合的な知識を習得できた。また、他国にはない、地域間で電力周波数の変換を行うなど余計な技術開発が要求されたため、日本の電気工学エンジニアのスキルが欧米を凌ぐ勢いで向上できたものと思われる。

また、第5章で取り上げた「西暦2000年問題」により全世界のIT技術者がソフトウェアの改修作業に忙殺されるという、大騒動になった。

ただ、これにより多くのIT技術者はビジネスホテルに泊まり込みながら、納期厳守でソフトウェアを効率良く開発するスキルが身に付いた。結果的にその後、短期間に良質なソフトウェアを産み出すことにつながっている。

同章のIPアドレス枯渇の問題についても、既存の限られたアドレスを拡張せずに、より多くの端末を接続できるようにするにはどうするかという工夫がなされた。

その結果、NATというプライベートアドレスを用いた新規な手法が考案されている。これにより、既設のネットワークでの運用を継続させながら、接続可能な端末数を徐々に拡大する技術の開発につながっている。

そして、第8章で取り上げた音楽の圧縮技術についてであるが、MP3が開発された時期に、私自身はMP3のような品質劣化を伴い、原音を復元できない非可逆圧縮技術に対して否定的な意見を持っていた。

動画の場合は、多少品質劣化を伴っても、できる限りデータ容量が小さくなるように圧縮しないとネットでの活用ができない。今日のビデオ会議システムのように、たとえブロードバンド・インターネットを使用しても、圧縮せずにストリーミング再生を可能にすることはできない。

しかし、動画に添付された音声や音楽の場合は、品質劣化がなく原音を復元できる可逆圧縮の方針で進めるべきであると、ずっと考えていた。この方針を貫くため、一時期、音楽の可逆圧縮技術の研究を進めていたこともあった。

この方向性は今日の視点でも間違っていないと考えており、事実、ハイレゾオーディオではMP3は否定され、可逆圧縮技術が採用されている。

ところが、技術革新という観点では、品質劣化を伴い、元のデータを復元できない非可逆圧縮技術の方に利があったようである。

MP3で圧縮すれば、ナローバンドのインターネット上でも圧縮された音楽ファイルを交換できる。この時、アナログコピーのように品質劣化を伴った方が著作権侵害の度合いは小さいと主張できる。

この言い訳は結局通用せず、開発者は逮捕までされてしまったが、第9章で述べたP2Pという革新的な技術「Winny」が生まれた。

また、非可逆圧縮技術を発展させ、第12章で述べた、元のデータに戻せない一方向関数であるハッシュ関数が開発された。これを用いて、ナカモトサトシ氏により第12章で述べたブロックチェーンという今世紀最大の発明が生まれ、全世界で使用されている。

さらに第12章で述べたように、ブロックチェーンは仮想通貨のようなFTだけでなく、デジタルのアート作品などNFTの取引にも活用されるようになった。これにより、第14章で述べたように、電子書籍を紙の書籍と同様な取り扱いが可能になる日が来ることが期待できるようになった。


新型コロナウイルスの流行といった自然現象を阻止することは難しいが、第7章で述べた、人が開発しているコンピュータウイルスについては、従来とは異なる別の対策が取れるように思われる。

サイバー攻撃はウイルス対策ツールといった防衛策では、いたちごっこが続くだけである。コンピュータウイルスを開発することにはデメリットが多く、犯行を諦めさせるような息の根を止める対策が重要である。

二〇二二年三月に東北地方で再び大きな地震が発生し、東北新幹線が脱線するといった、かなりの被害を受けた。このような自然災害に対する防災・減災は容易ではない。

しかし、同時期に発生しているロシアによるウクライナ侵攻による被害は、人が起こしているものである。軍事行動を進めることは相手側だけでなく、自分たちも、あるいは周辺国も大きな損失を被ることを理解させ、断念させることはできないものか。

私が殊更ブロックチェーンの発明を画期的であると評価する理由は、改ざんを試みる上で三段階の整合性を維持することを要求することにより、悪いことをしようと試みる人に犯行を断念させる潜在力がある点である。法を順守して正当な方法で進めた方が、結果的に得られる報酬が大きいことを教える力がある。

具体的には、超高性能なスーパーコンピュータを活用してブロックチェーンの改ざんをしようと試みる犯行予定者に対して、より規模の小さいマシンを用いて地道にマイニングを行った方が得られる利益が大きいことを犯行前に気づかせることができる。

第8章で述べたMP3技術が開発されたとしても、第6章で述べたコンピュータグラフィックス向けのグラフィックスエンジンが開発されていなければ、MP3オーディオプレーヤーは実現できなかった。

そもそも、第3章で述べた伝言リレーの発想により、パイプライン処理や並列処理による高速化のアイデアが考案されていなければ、グラフィックスエンジンの開発も進まなかったかもしれない。

即ち、これらの技術開発なしに、ＭＰ３圧縮された音楽ファイルをハードウェアによりリアルタイムに復号化して再生できる技術開発は進まなかった。従って、エンターテインメント用途にＣＧ技術を普及させるため、ハードウェア開発に莫大な投資をしてきたことは決して無駄ではなかった。


ＭＰ３技術が開発されなければ、第９章で述べたＰ２Ｐ技術も生まれなかったし、第12章で述べたブロックチェーンも生まれなかったかもしれない。

「Winny」の開発者とナカモトサトシ氏が同一人物であるか否かは確認のしようがないが、仮に同一人物であるとする。そして、「Winny」の開発者が逮捕されずに、「Winny」の使用が日本国内で正式に認められたとする。

そうすると、「Winny」は改良されて、楽曲や動画ファイルの交換など広範な分野に活用されるようになる。これにより、開発者の金子勇氏に多額の報酬が払われるであろう。

こうなると、ブロックチェーンのような画期的な発明は生まれなかったかもしれない。当然ながら、今日のようにビットコインやＮＦＴが生まれることはなく、本書を執筆しようという動機も生まれず、出版されることもなかったであろう。

著者プロフィール

茂出木 敏雄（もでぎ としお）

昭和34年、東京都足立区に生まれる。

足立区立新田小学校・中学校（現・足立区新田学園）を経て、昭和53年、都立白鷗高等学校を卒業。

昭和57年、千葉大学工学部電子工学科を卒業。

同年、大日本印刷株式会社に入社し、平成7年、郵政省・通信総合研究所（現、国立研究開発法人・情報通信研究機構）の特別研究員として約3年出向。

令和元年末、同社を定年退職し、現在、尚美学園大学・情報表現学科の講師。

既刊書に『我が半生　昭和・平成の習い事・通い事十色』（2020年　文芸社刊）『情報化社会の担い手　我が半生を彩った昭和・平成の道具たち』（2021年　文芸社刊）などがある。

情報化社会が犯した昭和・平成の過ち

我が半生に影響を与えた十五の誤り

2024年7月15日　初版第1刷発行

著　者　茂出木 敏雄
発行者　瓜谷 綱延
発行所　株式会社文芸社
〒160-0022　東京都新宿区新宿1－10－1
電話　03-5369-3060（代表）
03-5369-2299（販売）

印刷所　株式会社エーヴィスシステムズ

ISBN978-4-286-25535-4